내가 사람들 틈바구니에서
일을 찾아야 한다는 두려움에 떨 때.
친구는 실실 웃으며 내게 말한다.

― 겨울까지 살면 돼 ―

지금 나는 아무것도 하는 일이 없다.
내일도 뻔뻔한 하루다.
일없는 시간과 마주앉아 있을 테니!
그래도 친구가 있어 두렵지 않다.

― 나도 겨울까지 살면 될 테니까 ―

그저
나를
응원한다

메마른 땅,
꽃보다
아름다운
아이들

겨울까지
사는
사람들

00
끝내는 이야기 ─ 280

00

들어서며

— 수학점수

숲이 어두웠다. 안개가 자주 땅에 깔렸다. 너무 어두워 등불을 켰다.
등불이 자꾸 꺼졌다. 숲에서 사람들을 만났다. 사람들과 함께 있지 못하고
나는 떠나고 있었다. 숲길이 이리저리 얽혀 있어 길을 찾지 못했다.
내가 숲에서 나왔을 때는, 정확히 58년이 지난 후였다.

내 잘못이 아니었다. 운이 없었을 뿐이다. 어머니는 글씨를 읽지 못하셨으니 학교를
다니지 않은 것이 분명하다. 아버지는 글씨는 쓰실 줄 아시니까, 학교를 어느 정도
다니셨을 거다. 그런 부모님이니 아들이 가야 하는 길을 알지 못하셨을 것이다.

그러니 부모님 잘못도 아니다. 운이 없었기 때문이다.

고등학교 담임선생님이 나를 숲으로 보냈다. 국어 점수보다 수학 점수가 높다는
이유로 나를 이과 반으로 보냈다. 그래도 그분 잘못은 아니다. 운이 없었다.
문과로 가야 할 사람이 이과로 갔으니 길이 위태로웠다. 나는 수학이나
물리 과목을 이해하려 하지 않고 외우기만 했다.

취업이 잘되는 시절에 졸업했다. 좋은 회사에 들어갔다. 방송 기술로 30년을 버텼다.
퇴직 기념식에 가지 않았다. 창피했기 때문이다. 다른 동료들보다 늘 승진이 늦었다.
늦게 대학을 나왔기 때문에 동료들 중 나이가 가장 많았다. 인사권을 쥐고 있는
직장 상사를 원망했다. 그의 잘못이 아니다. 운이 없었다.

틀린 길이었다. 너무 멀었다. 어두운 길을 헤맸다는 것을 깨달은 것은 회사를 나온
다음이었다. 하고 싶은 일을 하고 있을 때 비로소 알았다. 고등학교 때 문과 반에 앉아
있어야 했다. 바로 옆 반이었는데, 수십 년을 등불을 켜고 다녔다. 어둠은 밖이 아니라
내 안에 있었다. 나도 나를 모르고 살았다. 수학 점수가 높다는 이유로 숲길로 가서,
여기까지 오는 데 거의 60년이 걸렸다.

이제라도.
여행을 하는 사람이 되어야지.
글을 쓰는 사람이 되어야지.

'남은 시간이 20년, 아니 10년 정도 될까?'

─ 붕어

"나야! 나라고. 내가 돌아왔어!"

아무도 만나고 싶지 않으면서 사람의 부재는 두려웠다.
내가 돌아왔었다는 것은 실재하지 않은 것만 같았고, 아무 일도 일어나지 않았다.

돌아온 지 한 달이 지났다. 몸은 시차 탓에 침묵하고 있고, 마음은 침대 위에서 지금도
여행 중이다. 세상을 떠돌다 못내 아쉬운 마음으로 돌아온 사람처럼 눈만 감으면 길이
보였다. 계절이 지나갔다. 꽃이 피고 졌다. 숲에서는 아직도 새들이 푸드덕 난다.

햇빛이 방 안 깊숙이 들어와 있어도 침대에서 일어나고 싶지가 않았다. 시간은 나를
어디에도 끌고 가지 못했다. 문득 '글을 써야 한다.'는 생각이 들었다. 하기 싫은 것을
안 하며 살 수 있는 방법은 글을 쓰는 일뿐이었다.

나는 3년 6개월을 여행했다. '코이카(KOICA) 해외봉사단원'으로
요르단에 3년을 있었다. 나머지 기간 동안은 귀로여행 삼아 배낭 하나로
9개국을 쏘다녔다. 나는 빈손으로 돌아왔다. 긴 날들 동안 책 한 권 완벽하게
읽지 않는 내가 "글을 쓰겠다."고 하는 건, 상처를 건드려 피를 흘리게 하는 것이다.

밥이 몸속에서 에너지를 만들 듯, 책을 읽어야 글을 쓸 수 있다. 펌프 속에 물을 붓듯
글을 쓰기 위해서는 글감을 끌어올릴 수 있는 마중물이 필요했다. 글을 쓰려면 책을
읽어야 한다는 이런 순리가 가슴을 꾹꾹 눌러 나를 밖으로 내몬다.

일주일 만에 밖으로 나왔다. 그새 봄꽃이 폈다. 봄은 오는 것이 아니라, 피는 것 같다. 초록이 피고, 잎이 피고, 꽃이 핀다. 아파트 단지에서 도서관까지 온통 꽃길이다. '물푸레 연못'이라고 쓰인 팻말 앞에 떼 지어 있는 민물 붕어를 내려다본다. 연못가에 몰려든 책가방을 멘 꼬맹이들이 과자 부스러기를 연못에 던진다.

내가 여행에 중독되듯, 붕어들도 바깥 세상에 길들여지고 있었다.

그저
나를
응원한다

01

겨울까지
살면 돼

"세상은 혼자 사는 게 아니잖아!"

요르단을 떠날 때 꼭 말해야 했는데 못 했다. 내가 이해 못 한다고 남을 탓할 수는 없다. 나는 절대 따라 할 수 없는 방식으로 그는 살고 있었다. 그가 가르쳐 준 아랍어는 비싼 학원비를 많이 절약하게 했다. 요르단에 와서 문화부 생활을 시작한 이래 3할은 그와의 시간이었다. 이런 친구를 남기고 요르단을 떠나는 것은 쓸쓸한 일이다. 그는 내게 많은 것을 줬다. 특히 그가 편안하게 세상을 사는 모습은 내게 큰 선물이 됐다. 지금 내가 버틸 수 있는 것도 그가 준 선물 때문이다.

요르단에서 봉사활동을 끝내고 3년 6개월 만에 돌아왔다. 서울은 여전히
분주했다. 꽃이 한창이고 숲은 여름으로 물들었다. 사람들이 지하철에서
끊임없이 쏟아져 나와 세상 속으로 들어간다. 막 퇴직했을 때 닥쳐왔던
고민이 다시 시작됐다.

'나는 뭘 해야 하나?'

'무엇으로 살아야 하나?'

내가 사람들 틈바구니에서 일을 찾아야 한다는 두려움에 떨 때 친구는
실실 웃으며 내게 말한다.

"겨울까지 살면 돼!"

지금 나는 아무것도 하는 일이 없다. 내일도 뻔뻔한 하루다.
일없는 시간과 마주앉아 있을 테니! 그래도 친구가 있어 두렵지 않다.
'나도 겨울까지 살면 될 테니까'.

요르단은 겨울 한철 비가 오고 다음해 겨울까지 비가 오지 않는다.
사막에 사는 양들이나 길가 올리브나무도 겨울에 내린 비로 한 해를 산다.
친구의 삶도 메마르고 쓸쓸했다. 양들이 겨울을 기다리며 살듯, 그도
다음 겨울을 기다리며 살고 있었다. 그는 숱한 사람들 속에 있지만 혼자
사는 사람이다. 경제관념 없이도 잘 살아간다. 묵묵히 비를 기다리는
올리브나무처럼 단단한 삶을 사는 그런 친구였다.

독일 병정을 떠올리게 하는 그의 이름은 '아슈랍프'다. 병정이 제복을 입듯,
늘 똑같은 옷만 입고 다녀 나를 무장해제시켰다. 딱 봐도 편안했다.

3년 전 문화부에 처음 파견되어 직원한테 그를 소개받았을 때다.
불룩 나온 배를 가린 낡은 조끼에는 얼룩진 커피 자국이 있었고
얼굴이 주름진 데다 콧수염이 입술을 덮고 있어 나이가 들어 보였다.
그는 47살이며 총각이라고 말해서 나를 놀라게 했다. 요르단 사람들은
늘 햇빛과 함께 살아서 실제 나이보다 열 살 정도 더 들어 보인다. 그는
문화부에서 일하는 계약직 사진작가다. 나는 코이카 해외봉사단원으로
영상미디어 직종에 파견됐다. 사진작가 일을 해야 하니 그와 업무가
겹치는 것이다. 봉사자인 내가 그의 일을 하면 문화부에서 월급을 주면서
그를 고용할 이유가 없어진다.

나는 한국에서 전문 사진작가로 일한 것은 아니었지만, 방송국 출신이고
직종이 미디어 쪽이라 그들은 나를 전문가라고 생각한다. 또 '아슈랍프'가
사용하는 카메라보다 내 것이 선명도가 높아 일부 직원들은 내 사진을 더
선호할 수 있다. 그래서 그와 첫 대면은 큰 부담이 됐다.
나로 인해 그가 직장을 잃을 수도 있기 때문이다.

'아슈랍프'는 괘념치 않았다. 나 혼자만의 생각이었다. 오히려 그는 일을
처음 시작하는 나를 이끌었다. 사진 찍을 일이 있으면 항상 함께 다녔다.
특히 문화부 장관 행사에 함께 간 적이 많았다. 그때마다 나는 조심스럽게
'아슈랍프' 뒤에서 셔터를 눌렀다. 그가 찍은 사진은 다음 날 신문에
게재되는 일이 많았다. 나는 조수이기 때문에 그와 업무가 중복될 때는
행사장에서 혼자 사진을 찍곤 했다.

이때 찍은 사진이 신문에 실린 경우도 몇 번 있었다.

사진은 위치 선정이 중요하다. 좋은 자리에서 좋은 사진이 찍힌다.
방송국 시절 좋은 장소를 선점하기 위해 중계차를 끌고 나가 10시간이나
일찍 현장에 가서 기다린 적도 있었다. 그만큼 사진작가는 피사체가
잘 찍히는 자리를 중요시한다. 그런데 그는 나를 앞으로 끌어내며 자리를
양보해 주곤 했다.

나는 출근한 이후 종종 그의 전화를 기다렸다. 점심 무렵이 되면 어김없이
전화벨이 울렸다. 그와 한 시간씩 얘기하는 것이 문화부 생활에 있어
중요한 시간이 됐다. 나는 헷갈린 아랍어 표현들을 쪽지에 적어 놓고 그의
전화를 기다리곤 했다. '아슈랍프'는 해결사였다. 뭔가 물어보면 그는 담뱃갑
은박지를 뜯어 은지화(銀紙畵)를 그리듯 그림을 그려 가며 내게
설명해 줬다.

그의 손에는 항상 커피와 담배가 들려 있다. 하루에 커피 10잔을 마시고,
담배 2갑을 피운다고 말한다. 그는 건강을 걱정하지도 않고 돈을 은행에
저금하지도 않는다. 내 음식 값도 주로 그가 내곤 했다. 내일 삶에는
관심 없는 사람이다. 미래를 포기한 건지? 아니면 기대하지 않는 건지?
오히려 내가 걱정이 되어 말했다.
"나이 들면, 저축해 둔 돈이라도 있어야 병원도 가고 먹고 살 텐데?"
"하하하 그때가 언제일까?"
그냥 하고 싶은 것은 그때그때 다하면서 사는 사람이다. 무슬림이면서도

'알라' 신에게 기도하지 않는 유일한 친구였다. 여자 친구도 없다.
자신과 같은 스타일을 좋아하는 여자는 없다며 웃는다. 바람이 거세게
불면 바람이 잘 때까지 엎드려 있는 들풀처럼, 세상 걱정 안 하고 사는
사람이었다. 이지적인 자유로움에 젖은 친구다.

문화부에 파견된 지 얼마 되지 않아 그의 차를 탈 기회가 있었다.
차는 낡아도 너무 낡은 지프차였다. 차가 도로에서 굴러간다는 것만으로도
신기할 정도였다. 그는 "30년 된 러시아 차야!" 자랑스럽게 말했다.
문제는 30년 된 차가 아니라 차 안에 있었다. 청바지를 입은 나는 뭐가
묻을까 봐 좌석에 앉을 수도 없었다. 차 안은 마시던 커피와 담배꽁초 등
생활 쓰레기로 가득했다. 담배꽁초가 푹푹 담긴 종이 커피잔은
햇빛에 말라 가고 있었다.

그는 3년 동안 나를 세 번 집으로 초대했다.
그의 차를 타고 다니며 웬만큼 적응했지만, '아슈랍프' 집은 적응 불가였다.
처음 문을 열고 들어선 그의 집은 나를 충격에 빠뜨렸다. 그의 집은 앉을
곳도 내다볼 창문도 없었다. 나는 여기가 어딘가 싶어 두리번거렸다.
아무리 봐도 사람이 한동안 살지 않은 집이었다.
"세상은 혼자 사는 거야!" 하며 나한테 과시하는 것만 같았다.
장마에 휩쓸린 잡동사니가 이 집으로 왕창 밀려온 듯했다.
온통 먼지여서 사물이 뚜렷하지 않았다. 나는 어디에 앉아야 할지 몰라
엉거주춤 서서 말했다.

"청소 안 한 지 얼마나 됐어?"
"글쎄, 4년 정도 됐을걸!"
"야! 이건 예술이다."
"좀 앉지."

나는 이 집 부엌이 궁금했다. '방이 이 정도인데 부엌은 어떨까?'
화장실 가는 척하며 안을 들여다봤다. 부엌은 '예술' 그 이상이었다.
설거지를 하지 않은 그릇이 싱크대에 켜켜이 쌓여 있었고, 파리는 창문에서
쏟아지는 햇빛 속으로 날아오르고 있었다. 서둘러 방에 돌아오자마자 그는
내게 비수를 꽂았다.

"우리 점심 해 먹을까?"

02

내가
사랑해야 할 곳

하늘이 크다.

높은 언덕에 올라온 듯 구름이 가깝다.

햇빛을 담은 구름은 빗자루로 쓸어 모은 듯 단정한 자세로 둥실 떠 있고,

하늘은 넓고 맑고 파랬다.

바람이 꼼짝 않고 서 있을 때, 햇빛은 땅으로 쏟아져 유리 가루처럼

쟁쟁히 흩어졌다.

땅은 태양으로 인해 붉고, 집들은 흙먼지에 물들어 똑같은 색이다.

흙색 집들은 빛에 구워 쌓아 둔 성냥갑처럼 산비탈에 빼곡히 쌓여 있었다.

10월인데도 여름 햇살이다. 건조하다. 나무도 건조하고, 공기도 건조하고, 걷는 사람 뒷모습도 건조했다. 차들이 일으키는 먼지마저 낮게 일었다가 건조하게 가라앉는다. 우리를 마중 나온 사무실 직원에게 물었다.

"비가 언제 왔나요?"
"음! 한 7개월 동안 비 안 왔어요."
"언제 오나요?"
"요르단은 겨울에만 비가 와요."

2014년 10월 10일. 처음, 요르단은 모두 건조했다.
남자 둘(시니어 단원), 여자 셋이서 바람 한 점 없는 공항에 도착했다. 마중 나온 코이카 사무실 직원과 차를 타고 시내로 들어갔다. 창문을 열었다. 달리는 차가 바람을 일으켰다. 뜨거운 공기가 차 안으로 들어와 창문을 다시 닫았다. 꽃도 없고 새도 없다. 신기하게도 7개월간 비가 내리지 않는데 듬성한 나무는 여전히 푸르다. 물기 없는 땅에서 버티는 나무는 고요했다.
요르단 수도 '암만'에 위치한 유숙소(단원들이 거주하는 임시 숙소)에 도착해서 짐을 풀고 점심을 먹으러 갔다. 코이카 사무소 소장과 선배 단원들이 우리를 환영해 줬다. 건조한 땅에서 견디기에 좋은,
열량 높은 중국 음식으로….

선배 단원과 처음 택시를 탔다. 운전사는 쉴 새 없이 뭐라고 지껄인다.

고개를 돌리고 말하는 것을 보면 우리한테 하는 말인 것 같다. 껄렁한
그가 내뿜는 담배 연기가 차 안에서 맴돈다. 빨리 내리고 싶었으나 도로는
차들로 꽉 막혔다. 서 있는 차 사이로 사람들이 아무렇지 않게 오간다.
은행에서 요르단 돈으로 환전하고 휴대폰을 개통했다. 한국에서 사용하던
휴대폰에 요르단 번호가 생겼다. 079-772-3945. 현지인과 소통할 수 있는
새로운 코드였다. 쇼핑몰은 컸고 사람들로 붐볐다. 카트를 끌고 여기저기
돌아 손수 해 먹기 위한 음식 재료를 사서 유숙소로 돌아왔다. 우리는
이곳에서 합숙한다. 적응 훈련이 끝나면 각자 필드로 나가 알아서 살아야
한다. 집을 구하고, 밥을 해 먹고, 쓰레기를 버리며, 이웃과 어울리는
현지인이 돼야 한다.

어둠이 오자마자 달이 떴다. 요르단에서의 첫 밤을 보려고 발코니로
나갔다. 차가 요란하게 달리고 있다. 히잡을 쓴 여자들이 신호등이 없는
길을 건너고 있다. 차는 그녀들을 피해서 쏜살같이 내달린다. 가로등 없는
골목은 어둡고 조용했다. "우왕~우왕!" 하는 소리에 놀라 하늘을 쳐다봤다.
코란을 읽는 소리가 어두운 하늘을 덮어씌웠다. 모스크에서 울리는
'아잔(기도 시간을 알리는 소리)'이 내가 요르단에 있다는 것을
확인시켜 줬다.

하루 종일 시차에 부대꼈는데도 잠이 안 온다. 이런저런 생각이 꼬리를 물고
이어진다. 어쨌거나 시간은 갈 것이다. 설렘과 두려움의 틈바구니에서도
시간은 지나갈 것이다. 당장 내일부터 학원에서 악명 높은 아랍어 수업을

받아야 한다. 설레면서도 떨린다. 젊었을 때 공부 못한 한이 남아 요즘
공부는 흥미롭기만 하다. 하지만 매주 보게 될 시험은 고역이다.
시험 없는 공부는 얼마든지 할 수 있을 것 같다.
그냥 오래 앉아 있으면 되기 때문이다.
간신히 마음을 달래어 잠이 들었다. 다시 아잔 소리가 새벽의 정적을 끊어
온 동네를 덮었다. 시끄러운 아잔 소리에도 잠들 수 있는 날이 언제쯤 올까?
첫 밤이 아슴아슴 지나갔다.

코이카 해외봉사단원은 처음 봉사활동을 할 나라에 도착하면, 2개월간
현지 훈련 프로그램에 참여해야 한다. 이 기간에 그 나라의 문화를 익힌다.
버스 타기, 물건 사기, 병원 가기 등등. 나는 현지 적응 훈련은 대충하고
공부만 했다. 아랍어를 알지 못하면 아무것도 할 수 없기 때문이다.
젊은 단원한테 지지 않으려는 오기로 공부했다. 같은 조건에서 남들보다
성적이 떨어지는 것은 스스로 늙었음을 인정하는 것이다. 공부 못하는 것은
부끄럽지 않지만, 늙어서 그렇다는 위로는 슬프다.

나는 하루 종일 수업 받고 돌아와 새벽까지 아랍어를 공부했다. 동기들은
잠자러 들어가고 나 혼자 거실에 놓인 책상에 앉았다. 그러곤 뜻도 모르면서
쓴 필기노트를 폈다.

'이것을 언제 다 외우나?'
'아니야, 외우지 말고 이해를 해야 돼!'

이래저래 그냥 잘 수도, 밤을 새울 수도 없는 밤이 애처롭다.
풀을 벤 들판에서 마구 솟아오르는 잡초처럼 생긴 아랍어가
맷돌이 되어 내 가슴을 눌렀다.

처음, 요르단.
아랍어가 나를 밤새 태웠다.
바람 없이도 내 몸은 마른 장작처럼 활활 탔다.
건조한 땅에서.

내가 사랑해야 할 곳에 온 것이다.

03
아랍어

'살면서 이만큼 나를 미치게 한 것이 있었을까?'

아랍어는 나를 미치게 했다. 언어란 생각이나 느낌을 전달하는 수단이므로
쉽게 배울 수 있어야 한다. 아랍어는 이런 보편성을 무시한 언어다.

봉사단원으로 요르단에 왔을 때, 남들이 모르는 아랍어를 공부한다는
자부심에 마음이 설레었다. 그런데 아랍어를 배우기 시작하면서,
나는 이 언어를 만든 사람을 원망해야만 했다. 그러지 않고서는 내가
견딜 수가 없었다.

전 세계에서 아랍어를 사용하는 국가는 22개국이다. 13억 명에 달하는
무슬림들이 종교어로 사용하고 있다. 문제는 이들이 쓰는 아랍어가 다 같은
아랍어가 아니라는 것이다. 아랍어를 사용하는 모든 나라에서 아랍어가
통용되는 것은 아니다. 요르단에서 쓰던 아랍어를 모로코와 튀니지에 여행
갔을 때도 사용했었는데 그들은 내가 하는 말을 일부밖에 이해하지 못했다.
그 이유가 있었다.

아랍어는 '푸스하'와 '암미아'라는 두 가지 언어로 나뉜다. '푸스하'는 신문이나
출판물에 쓰는 언어고, '암미아'는 실생활 언어다. 표준 아랍어인 '푸스하'를
배우면 읽고 쓰는 데는 문제가 없지만, 말을 하려면 22개국 방언을 모두
배워야 한다. 아랍권에서 통용되는 말하는 언어가 모두 다르기 때문이다.

아랍인이 나라마다 다른 언어를 사용한다는 사실을 알면 한숨이 나온다.
'그래서 아랍어가 어렵다고 난리들인가?'

거기다 아랍어가 변하는 패턴은 매우 복잡하다. 하나의 단어 줄기에서
가지로 연결되어 여러 형태로 분파된다. 또한 모든 사물을 남성과 여성으로
구분해 각기 다르게 표현한다. '한 사람, 두 사람, 세 사람… 열 사람' 등을
지칭하는 말도 모두 다르다. 내가 말하는 대상이 남성인지 여성인지, 아니면
남녀가 섞여 있는 그룹인지 그때그때 판단해야 한다. 언어 표현을 상황에
따라 다르게 말해야 하기 때문이다. 결국 분포된 모든 사물(나무와 꽃이
남성인지 여성인지)의 성을 외워야 아랍어를 자유자재로 말할 수 있다.

외국어 하나 배우는 것도 어려운데, 요르단에서는 두 개의 언어를 익혀야
한다. 문어체인 '푸스하'와 구어체인 '암미아'를 집단마다 다르게 쓰고

있기 때문이다. 말하는 언어인 '암미아'만 배우면 요르단 어디에서든지
통용되어야 하는데 그렇지가 않다. 엘리트 집단은 '푸스하'로 말하고,
장사꾼들이나 시골 사람들은 '암미아'로 말한다. '암미아'는 방언이라
사전을 뒤적여도 뜻을 알지 못한다.

요르단에 도착해서 현지 적응 훈련 두 달간 열심히 공부했고 드디어 파견
기관인 문화부에 출근했다. 죽자 살자 배운 아랍어인데 그들 말을 전혀 못
알아듣겠다. 내가 배운 아랍어는 '암미아'였고, 그들은 '푸스하'로 말하고
있었기 때문이다.

'일상 대화언어조차 통일되어 있지 않다니?'

나는 다시 '푸스하'를 공부해야 했다. 그때부터 헷갈려 미치기 시작했다.

문화부 친구를 붙잡고 하소연했다.

"도대체 요르단에선 어떤 언어를 배워야 해?"

" '푸스하'야? '암미아'야?"

그는 코란(이슬람교의 경전)에서 바탕이 된 '푸스하'를 배워야 한다고 점잖게
말했다. 그리고는 왜 "길거리 언어인 '암미아'를 배우려고 해?" 하고 반문했다.

다시 '푸스하'를 공부하니 '암미아'를 잊어버린다.

오지 아이들과 협력 활동을 하기 위해 '암미아'를 공부하니
또 '푸스하'를 잊어버렸다. 갈팡질팡하다 요르단을 떠나야 할 것 같다.

요르단에서 골치 아픈 것은 언어뿐이 아니다. 생활용품 사용도 헷갈린다.
전열기 스위치 on/off 방향도 우리 것과 반대로 작동된다. 글쓰기 체계도
완전 다르다. 우리는 왼쪽에서 오른쪽으로 글을 쓰지만,

아랍어는 오른쪽에서 왼쪽으로 쓴다. 이건 의도된 차별화 전략인 것 같다.
'너희가 왼쪽에서부터 글을 쓴다면, 우리는 오른쪽에서 시작하겠다.'
이런 연유로 책과 노트 등은 맨 뒷장이 첫 페이지가 된다. 방향만 바꾸면
간단할 것 같지만 영어 섞인 문장을 수정해 보면 미칠 것 같다.
컴퓨터 커서 위치를 어디에 놓아야 할지 도무지 감이 안 온다.

영어 단어를 지우면 엉뚱하게 아랍어가 지워지고, 아랍어를 지우면
영어가 지워져 짜증이 폭발한다.

막 요르단에 파견된 봉사 단원들에게는 아랍어를 열심히 공부하려는
열정이 있다. 어려운 언어를 말할 수 있다는 뿌듯함 때문이다.
그래서 생활비를 쪼개 학원에 다니고 현지인들과 스터디 그룹도 만들어
열심히 공부한다. 하지만 시간이 지날수록 미친 아랍어에 좌절하게 된다.
'누가 먼저 아랍어 공부를 포기하느냐?' 이건 시간문제다.
요르단에 막 파견된 단원들 블로그(blog)를 읽어 보면 아랍어에 대한
열망으로 가득하다. 그 다짐이 6개월을 못 넘긴다.

결국 요르단에서 살아남으려면 '푸스하'와 '암미아' 모두를 공부해야
한다. 아랍어가 어렵다 보니 말하는 언어인 '암미아' 하나만 공부하려고
하는데, 문자 언어인 '푸스하'도 공부해야 한다. 아랍어도 체계적으로
파생된 언어이기 때문이다. 문자 언어인 '푸스하'를 공부하면 신문이나
책을 볼 수 있고 아랍어도 이해할 수 있다. 구어(口語)인 '암미아'를 빨리

말하기 위해서도 '푸스하'가 바탕이 돼야 한다는 얘기다. 하지만 아랍어를 구사하려면 이런 험난한 고비를 넘어야 하는 줄 알면서도 마음을 다잡기가 참 어렵다.

나는 오늘도 미치고 있다. 의욕은 바닥으로 뚝 떨어졌다. 지금 관둬도 남들은 이해할 거라는 생각이 나를 자꾸 달랜다. 내일 수업도 나를 기절하게 할 것이다. 그래도 포기는 할 수 없다. 언제 내가 공부다운 공부를 한 적이 있었던가? 정신을 놓고 공부해 볼 수 있는 기회는 앞으로도 없을 것이다. 제대로 해 본 공부가 없었는데, 아랍어는 미칠 정도로 하고 있다. 고생한 시간과 학원에 바친 돈도 아까웠다. 아랍어를 집어치우는 것은 '요르단살이'를 때려치운다는 의미다.

아랍어로 고통받는 요르단 생활은 분명 끝없이 이어질 것이다. '나보고 어떡하라고!' 나는 요르단에서 오래오래 살아야 한다. 아랍어가 내게 무슨 짓을 하든지 간에 나는 아랍어를 사랑해야 한다. 아픔을 사랑이라 생각하며 살아야 한다는 생각. 조금만 더 미치다 보면 운 좋게 미칠지도 모른다는 그 생각. 나한테 이런 일이 닥치리라 생각도 안 했다. 그런데 일어나고 말았다.

04

벨을
두 번 울리고

나는 사람 이름을 잘 기억하지 못한다. 일종의 버릇이다. 누가 이름을
말하면 악착같이 외우려는 의지가 없다. 내 이름을 누가 기억해 주기를
기대하지도 않는다. '인연이 있으면 또 만날 테니 그땐 알게 되겠지' 하는
식이다. 문제는 이런 '이름 무관심'이 '얼굴 무관심'으로 전이되는 것이었다.
이름은 몰라도 은근슬쩍 넘어갈 수 있지만, 얼굴을 못 알아보는 것은
상대방을 기분 나쁘게 한다. 사람을 만날 때마다 자주 있는 일이라 모임
장소에는 잘 안 간다. 이런 연유로 나는 아는 사람이 별로 없다.
요르단에서도 이름과 얼굴을 기억 못하는 내 습관은 이어졌다.
해외봉사단원으로 파견된 문화부에서 근무하려면 직원 이름과 얼굴은

반드시 기억해야 한다. 내가 생존하기 위해서 필요한 것이다. 아랍어식
이름은 외우기 어려워 '용서' 되지만, 얼굴을 기억 못 하면 망신당한다.
요르단 남자는 몇 번 만나면 기억하게 된다. 머리 스타일이나 턱수염
때문이다. 여자는 아무리 뜯어봐도 똑같다. 짙은 눈썹, 십 리는 들어간 눈,
오뚝한 코. 누가 누군지 분간이 안 간다. 더구나 히잡까지 둘러쓰고 있어
막막하다. 히잡만 안 써도 헤어스타일로 대충 짐작해 보련만 도무지 방법이
없다. '히잡 때문에 당신을 알 수 없어요!'라고 넋두리하기도 어렵다.
히잡은 요르단에 와서 어떻게든 살려고 애쓰는 나를 힘들게 했다.

이슬람교 여성이 머리에 두르는 천이 히잡(Hijab)이다. 그 형태는 나라별로
차이가 있다. 이란은 앞머리를 드러내는 식으로 쓰고, 요르단은 머리카락을
완전히 가린다. 히잡 말고도 아랍권 여성이 입는 의상에는 '차도르(Chador)'
'니캅(Niqab)' '아바야(Abayah)' '부르카(Burqah)' 등이 있다. 특히 니캅은
눈만 내놓고 검은색 천으로 전신을 두르는 옷이다. 보수적인 여성들이
착용하는데, 도시 여성보다는 시골 여성들이 많이 쓴다. 내가 근무하는
문화부에 니캅을 쓰고 일하는 여성은 3명뿐이다. 눈만 보여서 누가 누군지
도통 알 수 없다.

니캅을 쓴 여자와 식사를 한 적이 있다. 민망하고 불편했다. 숟가락으로
음식을 뜬 뒤 얼굴을 가린 천을 앞으로 당겨 벌어진 틈으로 음식을 입에
넣는다. 밥 먹는 시간이 두 배 걸린다. 보지 않으려 해도 자꾸 시선이 간다.
요르단 여름 기온은 보통 40~50도 정도 된다. 얼굴만 내놓고 온통 가리고

다니는 여성을 보면 안쓰럽다. 이슬람교는 여성에게 왜 히잡을
쓰게 하는지가 궁금해 나는 근거를 찾아봤다.

'믿는 여성들에게 일러 가로되,
그녀들의 시선을 낮추고 순결을 지키며,
밖으로 드러내는 것 외에는 유혹하는 어떤 것도
보여서는 아니 되느니라……'(코란 제24장 '빛의 장')

이것을 보면 여성에게 히잡을 씌우는 목적을 알 것 같다. 여자의 신체를
가려서 남자가 성욕을 느끼지 못하게 하자는 것이다. 이런 히잡 문화를
이슬람권 밖에서는 여성인권 탄압이라고 주장한다.

여기에 대한 이슬람 측 반론도 만만찮다.
'자유롭게 착용한다면 히잡 그 자체는 그냥 의류일 뿐이다.
또 사막에서는 머리가 뜨거워지기 쉬워 써야 한다.'
물론 히잡 착용을 강요하면 비판 대상이 될 수 있다. 히잡을 강제한 국가는
사우디와 이란뿐이다. 요르단은 여성에게 히잡을 쓰도록 강요하지는
않는다. 이게 사실일까? 의심이 갔다. 왜냐하면 아버지가 무슬림이면
온 가족이 무슬림인 국가가 요르단이기 때문이다.
아랍어 과외 선생 '이스라'에게 물었다.
"무슬림 여성이 히잡을 쓰는 것은 아버지 뜻인가?"
"아니다. 히잡을 쓰라고 부모도 강요하지는 않는다. 내 자유의지로 쓰고

벗는다. 나도 한동안 벗고 다니다가 몇 년 전부터 다시 썼다"

'이스라'는 히잡을 쓰고 다니지만 나와 악수도 하고 택시도 뒷좌석에 앉아 같이 타고 다닐 만큼 개방적이다. 사실 그녀가 히잡을 벗기도 했었다는 얘기를 나도 들었다. 무슬림 여자가 히잡을 벗는 것은 어떤 이유에서일까?

정말 히잡을 벗어서 나를 당황시킨 여자가 있다. 나와 문화부에서 일하는 여성인데 이름이 '마날'이다. 별로 친하지 않았는데 그녀가 나를 찾아왔다. 내 이름을 영문으로 써 달라고 해서 써 줬더니 책에 사인해서 선물이라며 나한테 줬다. 그녀는 동화 작가였다. 그 후 친해져서 만날 때마다 인사하는 사이가 됐다. 하루는 계단을 올라가는데 어떤 여자가 반갑게 내 이름을 부르고 지나쳤다. 나는 누군가 싶어 뒤돌아서 멀뚱히 바라봤다. 그렇다고 맞대놓고 '당신이 누구세요?'라고 물어볼 수도 없는 일이다.
며칠 후 1층에서 일하는 '마날'에게 서류를 주러 갔다가 깜짝 놀랐다.
계단에서 내게 인사한 여자가 '마날'이었던 것이다. 히잡을 벗어 드러난 그녀의 곱슬머리가 어깨까지 내려와 있었다. 그녀가 완전 딴사람이 되어 있어 몰랐다. 왜 히잡을 벗었을까? 친한 남자 직원 '샤디'한테 물었다.

"마날이 갑자기 히잡을 벗고 다녀서 놀랐어!"
"그렇지? 나도 사실 놀랐어!"
"무슨 사연이 있어 히잡을 벗었을까?"
그는 머리 위에 손가락을 돌리며 말했다.
"아마 미쳤겠지?"

그만큼 남자는 여자가 히잡을 벗어던지는 것을 탐탁지 않게 여긴다는 뜻이다. 현지인 남성은 "히잡 쓴 여자가 좋아!"라고 노골적으로 말한다. 이런 사회적 분위기를 볼 때 이슬람 측이 히잡 문화를 아무리 미화해도 그것은 여성 억압이고 인권 침해의 상징일 뿐이다. 무슬림 남성은 네 명의 부인을 둘 수 있다는 법령(法令)도 같은 맥락이다. 결국 히잡은 여성에게는 '굴레'이고 '정조대'인 셈이다.

요르단대학교에 가 보면 히잡을 안 쓴 여학생이 30% 정도 되는 것 같다. 부모가 학력이 높고 개방적인 가정에서는 딸이 히잡을 쓰지 않는 편이다. 나는 개인적으로 "아랍 여성들이여 히잡을 벗어던져라"라고 말해 주고 싶다. 이제는 '히잡을 써야 아랍 여자답다'라는 편견을 버려야 한다. 히잡은 패션이고 강제성이 없다고 하지만 사회적 제약을 많이 받는다. 히잡은 나와 같은 이방인에겐 높은 벽이었다.

요르단은 수영장이 드물다. 힘들게 찾아간 수영장에서 무슬림 여성이 입은 수영복을 보고 놀랐다. 수영복은 여성들의 아름다운 몸매를 드러내기 위해 작게 디자인된 옷이다. 이들이 입은 수영복은 얼굴만 보이는 검은 '잠수복'이었다. 현지 친구 결혼식에 갔을 때다. 신부는 보이지 않고 넓은 홀에 남자들뿐이었다. 히잡을 벗고 치장한 신부의 머리를 남자들이 보지 못하도록 분리했기 때문이다. 나는 신부 측 하객인데 신랑을 만나는 셈이다. 신랑은 '당신은 누구세요?' 하는 눈초리로 나를 봤다.

현지인 집에 초대받아 간 날이다. 화장실 앞에서 그 집 막내딸이 갑자기
"아악!" 비명을 질렀다. 히잡을 벗고 화장실에 갔다가 나와 마주친 것이다.
나는 잘못한 것이 없는데도 고개를 숙이고 자리를 얼른 피했다.
그 집에 처음 갔을 때도 황당한 사건이 있었다. 현관 벨을 눌렀는데 아무도
나오지 않았다. 마침 문이 열려 있어 불쑥 들어갔는데 나를 본 여자들이
갑자기 양손으로 머리를 감싸며 돌아서셨다. 집 주인 '마무드'는 뜨악한
눈초리였다. 그가 나를 방으로 데리고 가서 설명해 줬다.
"현지인 집을 방문할 땐, 현관에서 벨을 누르고 5분 기다려라.
그래야만 여자들이 히잡을 쓸 수 있다."

요르단에는 우편배달부가 없다.
하지만 나는 현지인 집에 갈 때마다 '우편배달부'가 된다.
영화 《우편배달부는 벨을 두 번 울린다(The Postman Always Rings
Twice)》처럼, 나는 벨을 두 번 울리고 문 앞에서 5분 기다려야 했다.

막다른 골목까지 왔다. 해야 할지? 말아야 할지? 결정해야 한다.
계속 하자니 머리는 쥐가 나고, 포기하자니 여태껏 돈 쓰고 고생한 게
분했다. 나는 영어를 잘하진 않지만, 영어로 대화 정도는 할 수 있다.
그러나 요르단에는 영어를 할 수 있는 사람이 그렇게 많지 않다. 아랍어를
해야만 그들과 소통이 가능하다. 그러니 아랍어 공부를 안 할 수도 없다.
버텨야 한다. 3개월만 더 해 보고 안 되면 때려치울 것이다.
"쉽게 공부할 수 있는 방법이 어디 없을까?"

아랍어를 힘들지 않게 배울 방편으로 나는 '집 구하기 용어'를 사용해 봤다.

현지 적응 훈련이 끝나면 어차피 각자 집을 빌려 나가서 살아야 한다. 선배나 현지인 도움 없이 혼자 해야 하므로 부담이 될 수밖에 없다. 집을 잘못 구하면 1년을 고생한다. 우선 가구와 생활용품이 모두 비치된 집을 찾아야 한다. 또 위치와 계약 조건, 물탱크 수량, 월 전기세, 관리비 등을 꼼꼼히 따져야 한다. 특히 물탱크 개수는 매우 중요하다. 물 부족 국가인 요르단에서는 일주일에 두 번 가정으로 물을 공급한다. 이 때문에 물을 채울 물탱크 수가 적으면 단수로 낭패를 볼 수 있다. 한국에서처럼 여성들이 매일 샤워하고 머리 감는 일은 생각도 못 한다.

"빈집 있습니까?"

"가구가 집에 있나요?"

"방이 몇 개입니까?"

"월세가 얼마입니까?"

"당장 이사할 수 있나요?"

이런 문장이 집구하기 용어다. 70개 정도 꼭 필요한 것만 뽑아서 집을 구하러 가는 날까지 외웠다. 다 외우지 못하면 보고 읽으면 된다. 어차피 상대방 말은 못 알아듣는다. '나암(yes)'과 '라(no)'만 알아들으면 문제없다. 집을 구하려면 적어도 2주일은 골목길을 헤매야 한다. 요르단은 중개업소가 거의 없어 일일이 빈집을 찾아다녀야 한다. 골목을 돌다 보면, 어느 집 창문에 '세 놓습니다'는 문구와 전화번호가 붙어 있다. 그 번호로 주인에게 전화하면 된다.

준비된 문장을 펴 들고 전화번호를 누른다. 성깔 있어 보이는 남자 목소리가 들리면 바로 끊는다. 할아버지나 여성이 받으면 "한국 사람입니다. 집을 구경할 수 있나요?"라고 점잖게 말한다. 100번 정도 전화로 더듬거리다 보면 아랍어가 좀 늘리고 저절로 외워진다. 같은 문장을 계속 지껄이다 보니 발음도 그럴 듯해졌다. 급기야 집주인과의 통화에서 "인타 우르두니(당신 요르단 사람인가요)?"라는 질문을 받은 적도 있다.

그때부터 나는 아랍어를 '아는 체' 했다.

코이카 사무소에서도 신규 단원이 오면 내게 집 구하는 일을 부탁했다. 신입 단원을 데리고 골목을 돌아다닐 때마다 "어떻게 아랍어를 그렇게 잘하세요?" 하는 소리를 꼭 들었다. 그래서 누가 집 구하러 같이 가 달라는 부탁을 받으면 아무리 바빠도 뛰어나갔다. 막 요르단에 온 단원한테 점심을 얻어먹으면서 외운 '집 구하기' 용어는 나를 부동산 전문가로 만들었다. '아랍어 전문가가 돼야 하는데 부동산 전문가라니?'

남들 보기에 아랍어를 잘하는 것 같지만, 나는 집을 구하러 다니며 외운 문장만 말하고 있을 뿐이다.

두 번째 '아는 체하기'는 현지인 이름 외우기였다.

파견된 직장 문화부는 직원이 200명 정도 된다. 그들이 한국 이름을 말하기 어렵다 해서 이름을 아랍어로 바꿨다. 내 이름은 '오마르'였다. 그들처럼 나도 아랍어 이름은 정말 외우기 힘들다. 그들은 내 이름 '오마르'만 외우면 되지만, 나는 직원 200명 이름을 모두 외워야 한다. 현지인들이 "오마르!"

하며 반갑게 부르면 나도 그들 이름을 꼭 말해 줘야 했다. 그게 말이 쉽지 이 많은 직원 얼굴과 이름을 어떻게 외우겠는가?

직원 이름을 빨리 외우기 위해 이름 옆에 특징을 적어 두었다. 한국 이름 '새봄(큰딸 이름)'은 '새로운 봄'이듯이, 아랍어 이름도 나름대로 의미가 있었다. 요르단에는 '와파'란 이름을 가진 여성이 많은데 '와파'는 '신뢰한다'는 뜻이다.

이름을 외운다는 것은 단어를 외우는 것이다. 이렇게 직원들 이름을 하나하나 공부하듯 외우다 보니 아랍어가 재미있어졌다.

가끔 젊은 단원들은 나에게 나이도 많은데 어려운 아랍어를 잘한다고 한다. 사실이기도 하고, 사실이 아니기도 하다. 내가 말하는 아랍어의 70%는 '아는 체하기'다. 현지인과 전화 통화나 대화를 할 때 아는 체하고 고개를 끄덕이지만, 실제로는 30% 정도밖에 이해하지 못한다. 그것을 남들은 잘한다고 생각할 뿐이다.

경험에 의하면, '아는 체' 해서 남들이 잘한다고 말해 주면, 계속 아는 체해야 한다. 그러다 보면 아랍어를 계속 공부하게 되고 또 열심히 하다 보면 알 듯 말 듯 들린다. '아는 체'는 안다는 의미를 담고 있다. 이것은 참 중요한 얘기다. 외국어를 공부할 땐 나처럼 뻔뻔해야 잘할 수 있다는 뜻이다. 이것을 진작 알았다면 학창 시절 영어를 잘할 수 있었을 텐데.

내가 여태껏 아랍어를 포기하지 않고 공부할 수 있는 이유는 두 가지다.

첫 번째는 '아는 체'를 많이 해서 아랍어가 자꾸 재미있어지기 시작했기 때문이다.

그 재미가 '조금만 더 조금만 더' 하다가 자신감으로 이어졌다.

두 번째는 코이카 단원들 덕분이다.

그들은 나에게 아랍어를 잘한다고 칭찬도 해 주고, 밥도 사 줬다.

그런 단원들이 있어 나는 요르단에서 살아남을 수 있었다.

고맙다!

당신들이.

06

왜
그 먼 곳까지

2015년 4월 7일.

나는 협력활동의 하나로 '시네마천국'을 기획해서 팀을 만들었다.

나를 포함해서 6명이다. 시네마천국은 오지 아이들에게 영화를 보여 주는

행사다. 요르단 땅에서 한 번도 시행하지 않았던 불모지 프로젝트였다.

첫 번째 활동지역을 요르단 남쪽 베두인(아랍계 유목민) 오지 마을로 선정한

후 답사까지 끝냈다.

지금의 코이카 소장은 단원들의 협력활동을 독려하는 스타일이다. 안전하게

활동할 수 있는 곳이면 어디든지 쉽게 지원해 줬다. 하지만 베두인 마을은

안전에 문제가 발생할 수 있다며 어렵다는 입장을 내게 비쳤다. 수백 명의
아이들을 사막에 모아 놓고 밤에 영화를 보여 주는 행사는 위험하다는
것이다. 영화를 보려면 어두워야 하고, 문화가 소외된 지역을 찾다 보니
베두인 마을을 섭외한 것이다. 어쨌거나 활동장소는 내 맘대로 결정할 수
없는 것이라 답답한 나날만 이어졌다.

그러던 얼마 후 신임 소장이 코이카 본부에서 요르단으로 부임했다.
요르단 분위기 파악이 안 된 지금이 기회다 싶었다. 이럴 때 설득하지
못하면 시네마천국 팀은 오지 마을로 가지 못할 것이다. 서둘러 면담 신청을
했다. 변 소장을 코이카 사무소에서 만났다.

마 숙종   답사 일정을 하루 연장해 줘서 고맙습니다.
          잘 다녀왔습니다.

변 소장   수고하셨습니다. 누구를 어떻게 만났습니까?

마 숙종   베두인 마을을 관할하는 최고 기관을 찾아가서 코이카
          이름으로 면담했습니다. 관광청 청장에게 활동 취지를
          알리고 장소 도움을 요청했습니다. 청장이 자동차와
          안내자를 지원해 주고 활동할 수 있는 마을을 소개해
          줬습니다. 마을 대표도 만났습니다.

변 소장   지역은 어디인가요?

마 숙종   페트라 관광지 옆에 위치한 베두인 오지마을입니다.

변 소장   암만 인근에도 우리가 봉사할 수 있는 곳이 많은데
          왜 그 먼 곳까지 단원들을 데리고 가려고 하는

겁니까? 단원들 안전은 제 책임입니다. 이미 사무소는 내부적으로 '시네마천국' 활동 장소를 정해 뒀습니다. 베두인 마을에서 아이들을 모아 야간에 영화를 보여 주는 행사는 허락할 수 없습니다. 너무 위험합니다.

마 숙종 나는 어디를 가든 단원 신분으로서 소장님의 결정을 따른다는 전제로 말씀드리는 겁니다. '라하프(사회복지 단원)'를 아십니까?

변 소장 잘 압니다.

마 숙종 그녀는 여자 신분으로 저에게 함께 답사를 가고 싶다고 먼저 제의를 했습니다. 그녀가 나와 함께 여행하고 싶어서 그런 것은 아니지 않습니까?

변 소장 아마, 그럴 겁니다.

마 숙종 그것은 그녀에게는 시간이 없다는 것을 의미합니다. 얼마 남지 않은 봉사시간을 의미 있게 보내고 돌아가고 싶어 그런 겁니다. 그렇게 할 기회를 주세요.

변 소장 '시네마천국' 팀이 베두인 마을로 가려는 의도는 욕구 충족 때문 아닌가요?

마 숙종 저는 방송국 출신입니다. '아빠 어디가'라는 프로그램을 아십니까?

변 소장 네, 압니다.

마 숙종 '아빠 어디가'의 성공은 장소를 오지로 선택한 데 있습니다. 안전 문제가 신경 쓰이신다면 베두인 마을에 함께 가 보시죠. 마을 대표가 안전 보장 확인서까지 써 줬습니다. 지금 결정을 못 하시겠으면 목요일까지 알려 주세요. 그 결정에 따라 '시네마천국'을 끌고 가겠습니다. 승인이 안 나면 문화기획을 빼고 영화만 보여 주는 작은 활동으로 혼자 해 나갈 생각입니다.

변 소장 내일 통보해 주겠습니다.

마 숙종 시네마 팀이 신임 소장님을 좋아하게 만들어 주세요. 우리 모임 때 초대하겠습니다.

변 소장 고맙습니다. 모임에 가고 싶군요. 다음 주 이후에.

마 숙종 돌아가서 팀원들에게 결과를 알려야 하는데 뭐라고 할까요?

변 소장 제 표정을 보면 알지 않겠습니까? 시네마 팀으로 50% 이상 기울었습니다.

다음 날 신임 소장은 베두인 지역으로 가는 시네마천국 활동을 승인했다. 이것이 내가 요르단에 온 이유였다. 나는 방송국 출신이라 '영상미디어' 직종으로 뽑혀 요르단에 왔다. 내 임무는 요르단 아이들한테 한국을 알리고 영화를 보여 주는 것이다.

한국의 '메가박스'가 콘텐츠를 공급하고 코이카는 장비를 구입해 주고 단원을 해당 지역에 파견하는 조건이다. 일종의 협력 사업이다. 코이카는 메가박스 채널(영화 시작 전 시네마천국을 상영함)을 통해서 단원들의 활동을 홍보한다. 메가박스는 공익사업도 하고 있다는 것을 국민들에게 알리려는 의도다.

시네마 천국을 기획하면서 내가 가장 오래 고민한 것이 있었다.

'어디에 가서 스크린을 세울 것인가?'였다. 팀원들과 여러 차례 논의한
끝에 베두인 아이들을 찾아가자는 결론이 났다. 가장 매력적인 지역이
'움싸이혼(Um Sayhon)'이었다. 페트라 유적지에서 4㎞가량 떨어진 베두인
새 정착 마을이다. 일종의 인디언 보호구역인 셈이다. 애당초 페트라 안에서
살다가 관광지 정비를 이유로 쫓겨난 사람들이 모여 사는 지역이다.
마을 주민이 3000명이나 된다. 그중 1000명은 페트라에서 관광 상품을
파는 일을 한다.

움싸이혼은 페트라 관광지 옆에 위치하고 있다. 아이들은 페트라에서
돈을 벌기 위해 학교에 가지 않는다. 부모들도 아이들이 학교에 가든
말든 무관심하다. 그 아이들을 학교로 돌아가게 하는 활동이 꼭 필요한
곳이다. 초등학생 수가 많고, 집들이 한곳에 모여 있어 가족들 모두 활동에
참여하게 할 수 있는 최적의 장소였다.

나는 코이카 본부와 '메가박스'에 베두인 마을에서 시행할 활동 계획서를
보냈다. 그곳으로 가야 하는 이유와 아이들에게 필요한 활동 프로그램을
상세히 적었다. 2주일이 지난 후 한국에서 답장이 날아왔다.
그 답장은 놀라웠다. 나를 설레게도 했다.

"시네마천국 활동을 취재하러 촬영 팀을 요르단으로 파견하겠습니다."
내 능력을 보여 줄 수 있다는 기쁨보다 걱정이 앞섰다.

당장 해야 할 일이 너무 많았다.

영화장비를 사야 하고, 프로그램을 짜야 하고, 아이들에게 줄 선물도
준비해야 했다. 음식보다 입을 옷이 더 필요한 베두인 아이들이다.
300명 아이들에게 입힐 티셔츠를 구입하는 데 한 달이나 걸렸다.
같은 종류의 셔츠 300벌을 파는 가게가 요르단에는 없었다. 그래서
의류도매 상인을 데리고 공장에 찾아가 주문해야 했다. 그런 뒤 대·중·소
사이즈를 맞추고 '시네마천국' 로고를 찍어야 했다. 로고 작업을 전문으로
하는 가게를 찾으러 전통시장 곳곳을 누비고 다녔다.

나는 매일 밤잠을 설쳤다.

처음 진행하는 행사를 너무 크게 하는 것은 아닐까? 요르단에 온 지 얼마
되지도 않는데. 활동 지역인 '움싸이흔'은 베두인들만 사는 곳이라 위험할
수도 있다. 내가 우겨서 가는 곳이다. 팀원들이 다치면 나한테도 책임이
있다. 거기다 한국에서 촬영 팀까지 온다. 그들이 찍을 그림을 어떻게든
만들어야 했다. 아이들이 250명은 돼야 하고, 사용하는 장비 모두가 이상
없어야 한다.

출근해서도 온통 행사 걱정뿐이었다.

팀원들에게 업무를 분담하고 그냥 맡겨 두면 되는데 내 성격이 그렇지
못하다. 내 것도 감당 못 하면서 남의 일까지 신경 쓰니 몸이 남아나질
않았다. 거기다 행사 당일 인사말과 영화 소개를 팀 리더인 내가 해야
한다고 팀원들은 끝까지 우겼다.

'아직 현지인과 말도 잘 못하는데 아랍어로 수백 명 앞에서 말해야 한다니.'

망치질 하듯 머릿속이 쾅쾅거렸다.
해야 할 일들은 도로에 멈춰 선 차들처럼 빵빵거리고 있는데.
시간은 '움싸이혼' 마을로 쏜살같이 날아가고 있었다.

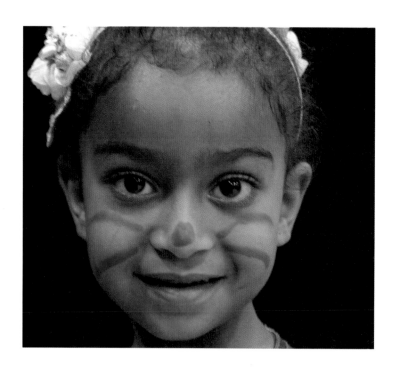

07

붉은 마을
아이들

바람 한 점 없는 마을이다.

구름마저 없는 하늘에서 쏟아지는 해가 온종일 목덜미를 따끔거리게
하는 날. 한국에서 '시네마천국' 활동을 촬영하러 온 '메가박스' 팀이 나를
인터뷰했다. 붉은 산 '페트라'가 보이는 낮은 담장에 걸터앉아
카메라를 향해 말했다.

"저는 아주 먼 곳까지 왔습니다."
붉은 마을 '움싸이혼'에 살고 있는 베두인 아이들은 나를 수십 년 전으로

끌고 왔다. 이 아이들은 그때의 내 모습이었다.

한 번도 영화를 보지 못한 아이들.
운동장에 세운 스크린을 커다란 TV라고 설명해 주니,
고개를 끄덕이는 아이들.
우리와 함께 만든 종이 연을 날리고 싶어
바람 없는 언덕을 뛰어다니는 아이들.
한국이라는 나라가 얼마큼 먼 곳에 있는지도 모르는 아이들.
사흘 동안 아이들과 함께하며 시간을 잊은 채 지냈다.

해는 졌지만, 아이들과 뛰놀았던 낮의 일들은 지워지지 않고
스크린 위 영화와 함께 선명하게 찍혔다.
오전에 시작한 1부 행사가 어떻게 끝났는지 아무런 기억도 하지 못한 채
영화를 보는 300명 아이들 속에 나는 앉아 있었다.
모든 것이 낯설어 외롭기까지 했다.
내가 기획한 시네마천국은 외로운 아이들에게 영화를 보여 주는
프로젝트인데, 나는 내 외로움을 주체하지 못했다.

얼마나 뛰어다녔을까?
온종일 흘린 땀보다 더 많은 물을 마셔 댔다.
내가 두드리는 사물놀이 북채가 리듬을 잃고 탱탱한 북에서 힘없이 튕겼다.
호기심 많은 아이들에게 한국영화 '말아톤'을 아랍어로 소개할 때는,

뭐라고 말해야 할지 도무지 생각이 나지 않았다.

한 달을 죽도록 외운 것들이 머릿속에서 뒤죽박죽이었다.

내가 편집한 영화였지만 아무런 내용도 모른 채 영화가 끝날 때까지

그저 아이들이 동요하지 않기를 바랄 뿐이었다.

'말아톤' 내용을 이해하지 못한 아이들이 웅성거리기 시작했다.

서둘러 영화를 끝냈을 때, 밤은 깊었고 마을은 달빛 아래 환했다.

붉은 마을에서 내가 해야 할 일이 아직 끝나지 않은 것 같은데,

시네마천국 행사는 끝이 나 버렸다.

밤늦도록 기다려 준 아이들에게 "와다아(good-bye)"라고 말한 후

온종일 마을을 쾅쾅 울렸던 스피커 파워를 껐다.

아이들 소리가 멎고, 바람이 멎고, 운동장에 세운 2층 높이의 스크린이

밧줄에 풀려 내려졌다.

사흘 동안 세 차례의 행사를 마친 후 아이들을 남겨 둔 채

마을을 돌아 나왔다.

버스는 산모퉁이를 돌다 흔들렸고, 고생한 팀원들은 의자에서 졸다가 깼다.

햇살은 마을을 붉게 물들여 놓고 차창 안으로 들어왔다.

나는 커튼 사이로 아이들이 있는 '움싸이혼'과 '페트라'로 이어지는

계곡을 내려다봤다.

'저 계곡 밑으로 내려가 여행자에게 엽서를 팔며 힘든 생을 이어 가는 아이들. 그들에게 내가 무엇을 두고 왔을까?'
'시네마천국 팀 6명이 무려 3개월을 준비해서 펼쳐 놓은 푸른 꿈이 아이들 곁으로 갔을까?'
'한 명의 아이라도 학교에 보내려 했던 우리의 메시지는 전달됐을까?'

아직 산모퉁이 하나 돌았을 뿐인데.
마을은 천연스럽게 멀어져 갔다.

다시 올 수 있을까?
바람이 있어 아이들이 연을 날릴 수 있을 그때.
한국이라는 나라가 어디쯤인지 아이들이 알게 될 그때.

다시 올 수 있을까?

08

달콤한
나라

테이블 위에 이상한 것이 보였다.

흰색 가루가 수북한 양푼이 테이블마다 놓여 있었다. 학교 식당에서
처음 보는 것이다. 저게 뭘까? 밀가루인가? 밀가루라면 식사 후 식기를
세척하라고 놓아 둔 것이겠지만 이해가 안 됐다. 그냥 지나칠 수 없어
식당 안으로 들어갔다. '아! 소금이구나' 하고 집어 먹었더니 놀랍게도
설탕이었다. 처음 요르단대학교에 갔을 때 있었던 일이다.

비만에 예민할 나이인 학생들까지 설탕을 '사랑'하는 나라가 요르단이다.

"비둔 수카르(설탕을 빼 주세요)"는 봉사단원으로 요르단에 파견 와서 제일 많이 쓴 문장이다. 샤이(전통차)나 커피를 주문할 때마다 "비둔 수카르"라고 꼭 말해야 한다. 깜빡했다가는 설탕물을 마셔야 하기 때문이다. '수카르'는 아랍어로 '설탕'이다. 작은 샤이 한 잔에 설탕을 얼마나 넣을까 세어 본 적이 있다. 하나, 둘, 셋. 설마 했는데 네 스푼을 넣는다. 물 반 설탕 반이다.

다운타운에 가면 요르단 최고의 디저트 가게가 있다. '하비바'라는 간판을 단 이 가게는 늘 번호표를 든 손님들이 줄을 서 있다. 요르단 명물 '크나페'를 먹기 위해서다. 이 과자는 양젖으로 만든 치즈에 코코넛 가루, 설탕 등을 넣고 하루 종일 끓인 시럽과자다. '이보다 더 단 음식이 세상에 있을까?' 어릴 때 좋아했던 '설탕 뽑기'보다 더 달았다. 달콤함의 극치였다.

이들이 설탕을 '사랑'하는 이유는 술 때문인 것 같다.
이슬람에서는 교리상 술을 못 마시게 한다. 술 판매와 생산이 금지된 사우디아라비아, 쿠웨이트, 아랍에미리트, 카타르 등은 외국인에게까지 금주를 적용한다. 반면 요르단은 무슬림이 아니면 술을 먹을 수 있다.
문제는 술값이 비싸고 술 파는 곳을 찾기 어렵다는 것이다.
캔 맥주 하나에 3000~4000원이나 한다.
대형 마트에 싼 맥주가 진열되어 있기에 '웬 떡이냐!' 하고 샀더니
알코올이 빠진 맥주였다. 맥주 맛은 나지만 취하지는 않는다.
요르단 사람들이 술을 못 먹기 때문에 단맛에 길들여진 것이다.
술 대신 설탕으로 감정을 달래는 식이다.

이해는 하지만 설탕을 지나치게 많이 먹어 걱정스럽다.
오히려 설탕을 적게 먹고 술을 마시는 것이 나을 듯하다.

요르단 사람들은 손님을 설탕물로 환대할 정도다. '설탕은 소리 없는
살인자'라고 귀에 못이 박이도록 듣고 살아온 나 같은 사람은
그들의 환대가 고역이다. 대놓고 거절할 수 없어 잔을 비우면 계속
설탕물을 부어 주기 때문이다.

코란(이슬람 경전)에 '지나가는 나그네가 묵기를 청한다면 극진하게 대접해야
한다'는 내용이 있다. 이들이 집에 찾아오는 손님한테 지극정성인 것은
종교적 전통에서 유래된 것이다. 베두인이 외국 사람들한테 더 극진하다.
길 가다 목이 말라 물 한 잔 달라고 하면 샤이가 가득 담긴 주전자를 통째로
갖다준다. 향신료와 설탕을 듬뿍 넣고 끓인 것이다. 이런 넉넉한 민족성이
'설탕 사랑'으로 이어진 것 같다.

설탕이 가득한 커피와 샤이는 요르단 사람들의 일상 음료가 됐다.
일하는 시간보다 커피를 마시며 떠드는 시간이 더 길다. 달콤한 음료에
길들여진 민족이다. 모든 관공서에는 커피와 샤이를 전문으로 제공하는
사람이 있다. 내가 일하는 문화부에도 장관이나 방문객을 위해 음료를
서비스하는 직원이 있었다. 남자이며 이름은 '이싸'다. 직원이 벨을 누르면
차나 커피를 갖다준다. 그는 하루 종일 차를 끓이는 일을 한다.
특히 나를 좋아해서 손님이 간 뒤에 가져온 커피를 꼭 나한테 줬다.

나는 그 커피 속에 든 것이 무엇인지 알기에 덜컥 겁이 났다.

'하난'은 문화부에서 나와 같이 근무하는 여자다. 그녀의 집에 세 번 초대
받았을 정도로 친하다. 그녀가 처음 딸을 소개해서 악수하는데 그녀의
손이 내 손보다 컸다. 당연히 대학생이겠지 했는데 중3이라고 해서 놀랐다.
그만큼 체격이 크다. 엄마의 덩치도 상당했다. '하난'처럼 몸집이 큰 여성이
문화부에는 많다. 이들한테는 한국 여성이 목매는 다이어트가 먼 나라
얘기다. 헬스장도 모르고 많이 걸어서 체중을 빼야 할 이유도 없다. 그냥
남들과 비슷하게 사는 것이다.

걷기를 이렇게 싫어하는 민족 또한 처음 봤다. 요르단에 와서 살 집을
구하려고 골목길을 헤맬 때다. 4층짜리 아파트에 1층과 4층 방을
세놓는다는 문구가 붙어 있어 주인을 만났다. 4층을 구경하고 난 뒤 월세가
너무 비싸 1층을 보여 달라고 했다. 1층이 4층보다 쌀 것이라고 생각했기
때문이다. 그런데 4층보다 더 비싸게 부르는 것이 아닌가.

잘못 들은 건가 해서 주인한테 물었다.
"1층이 4층보다 왜 더 비싼가요?"
"요르단은 1층이 제일 비쌉니다."
집주인이 1층이 비싼 이유를 설명해 줬다.
"나무를 볼 수 있고, 많이 안 걷고 바로 집에 들어갈 수 있잖아요.
또 손님이 와도 계단을 오르락내리락하지 않아도 되니 얼마나 좋습니까?"

단것을 많이 먹고 운동을 전혀 안 하니 몸무게가 느는 것은 어쩌면
당연한 일. 몸이 무거워지더라도 달콤하게 살겠다는 사람들이다.

세계에서 비만율이 가장 높은 나라는 중동의 쿠웨이트이고, 가장 낮은
나라는 방글라데시인 것으로 나타났다. 세계 여성 비만율 통계에 따르면
카타르, 사우디아라비아, 레바논이 비만율 1, 2, 3위다. 모두 아랍권이다.
요르단도 16위다.

오래 살려고 아등바등하지 않는 이 나라 사람들 수명이 궁금해서
같이 일하는 친구 '샤디'에게 물어봤다.
"요르단 국민 평균 수명이 얼마나 되니?"
"글쎄, 80세 정도 될걸."
의아해하며 나는 중얼거렸다.
"말도 안 돼! 어떻게 80세까지 살아. 설탕을 밥 먹듯 하는데?"

집에 와서 인터넷을 찾아봤다. WHO(세계보건기구) 등 출처에 따라
통계치가 달랐다. 유독 CIA(미국중앙정보국 2011년 기준)가 발표한 자료가
눈에 띄었다. 국가별 평균 수명이 긴 순위에서 놀랍게도 요르단은
80.05세로 세계 29위였고, 한국은 79.05세로 40위였다.
단것을 많이 먹는 요르단 사람이 우리보다 오래 살다니 믿을 수 없다.

천덕꾸러기 대접 받고, 성인병을 일으키는 주범으로 알려진 설탕.

그 설탕이 정말 건강에 해로운 것인지 의심스럽다.

이제까지 달콤한 욕망을 참고 쓴 것만 먹고 살았는데 억울하다.

나는 긴 세월을 살면서 욕망의 대상과 수없이 부닥쳤다. 조금이라도
건강하게 살기 위해 그 유혹을 끝없이 뿌리쳐야 했다. 달콤함은 가장 먼저
나에게 시작된 욕망이었으며 가장 오래도록 지속됐다. 삶의 동반자처럼
끈질기게 따라다닌다.

나를 괴롭혔던 그 욕망 모두가 과연 나의 적이었을까?

내가 만난 요르단 사람들은 나처럼 욕망을 견디려고 몸부림치지 않았다.
그들은 단순하게 산다.

하기 싫은 것 안 하고, 먹고 싶은 것 먹으며.

09

알 수
없는 일

"오늘은 출근하지 말라"는 문자가 왔다.

좋기도 하고, 나쁘기도 했다. 침대에서 늦게 일어나는 것은 좋지만, 출근해야
직원들한테 아랍어를 공짜로 배울 수 있다. 그녀는 가끔씩 이런 문자를 내게
보낸다. 본인이 일이 있거나 휴가를 내면, 나보고 출근하지 말란다. 그녀가
없을 때 다른 직원과 친해지면 그 직원이 나를 데려갈 수 있다는 우려
때문이다. 나는 그녀의 개인 비서임이 틀림없다.

나는 해외봉사단원으로 요르단으로 파견됐다. '영상 미디어' 직종으로
문화부에서 사진작가 일을 하고 있다. 요르단은 한국과 달리 예술가보다는

엔지니어를 높게 평가한다. 엔지니어는 아랍어로 '무한디스'다. 엔지니어
출신인 사람을 아예 무한디스[Engineer]라고 호칭한다. 방송국에서 근무할
때는 엔지니어라 홀대받았는데, 여기 와서는 예술을 한다 하니 또 홀대한다.
개과천선(改過遷善)은 안 되나 보다. 나는 개인 책상도 없이 그냥 그녀
방에서 그녀가 시키는 일만 한다. 그녀가 나를 독점했다.

그녀 이름은 '하난'이다. 뚱뚱하고 얼굴이 커서 행사 사진 찍을 때 각도를 잘
잡아야 한다. 방송국 시절 전두환 씨가 대통령이 된 후 보도국 카메라 팀에
특명이 내려졌다.
"무조건 앞에서 찍어라! 절대 '전통(전두환 대통령)' 뒤에서 찍으면 안 된다."
그래서 '땡전뉴스(9시 땡! 하면 전두환 대통령 뉴스를 의무적으로 시작해서
붙은 이름)' 때 그의 대머리 뒤통수는 한 번도 보이지 않았다.
여자들이 얼굴 크게 나온 사진을 아주 싫어하는 것을 알기 때문에 그녀를
찍을 때마다 신경 썼다. 그녀가 나를 위해서 요르단으로 파견됐고,
문화부에서 일하게 됐다. 그게 고마워서 나는 열심히 그녀를 찍었다.
'하난'은 문화부 대변인이다. 문화·예술·언론 등을 총괄하는 업무라서
영향력이 있다. 수행비서인 나도 나름대로 폼을 잡는다.

회의 때문에 1시간 후에 온다던 그녀가 10분 만에 왔다. 문을 열고 처음
보는 모습으로 문에 기대서 나를 한참 바라봤다. 술에 취한 사람처럼 눈에
초점이 없었다. 이상해서 가까이 가서 물었다.
"무슨 일 있어요?"

"아! 피곤해."

들릴 듯 말 듯 한 목소리와 함께 그녀는 바닥에 "쿵!" 쓰러졌다. 손쓸 방법이 없었다. 육중한 몸 때문에 그녀를 일으켜 세우지 못한 것이 아니라 무슬림 여자 몸에 손을 댈 수 없기 때문이다. 그냥 바닥에 둘 수 없어 급히 직원들을 불렀다. 직원 셋이 뛰어왔다. 그녀를 소파에 눕혀 얼굴에 물을 뿌리고 흔들었더니 의식이 돌아왔다.

'하난'이 쓰러진 이유를 회의에 참석한 직원들은 아는 것 같았다. 그녀를 택시에 태우고 병원으로 가서 응급실에 눕혀 놓았다. 따라온 직원한테 무슨 일이냐고 물어봤다.

"오늘 회의에서 장관이 '하난'을 다른 곳으로 발령 냈어요."

"그 충격으로 쓰러졌군요?"

"그런 것 같아요."

"어디로 발령 났나요?"

"아마, 문화 센터(Royal Cultural Center)로 갈 것 같아요."

'하난'은 문화부에서 아웃사이더였다. 주류가 아니기 때문에 언제 자리를 뺏길지 모른다. 그녀는 원래 초등학교 교사였다. 4년 전 문화부가 주관하는 행사에서 그녀가 사회를 맡았다. 그 자리에 있던 문화부 장관이 그녀를 스카우트했다. 외부에서 들어와 대변인 자리를 꿰찬 그녀를 동료들은 못마땅하게 여겼을 것이다.

'그래서 그녀는 내게 집착했을까?'

나 외에는 아무도 믿지 않았다. 방을 나갈 때 다른 사람이 책상 위에 있는
서류 등을 보지 못하도록 주의하라고 했다. 그녀는 혼자서 많은 일을 떠안고
밤늦도록 일했다. 그것이 장관한테 신임받는 유일한 길이었다. 결국 신임을
잃은 충격으로 그녀는 쓰러졌다.

무슬림 국가인 요르단이 한국과 똑같다는 사실에 놀랐다. 내 직장이었던
곳도 이기주의와 파벌주의로 명성이 높은 회사였다. 대통령이 바뀌면 파벌도
바뀌는 주인 없는 회사였다. 이해관계에 따라 사람을 가르는 알 수 없는
일이 많이 일어났다. 나는 포기하고 아웃사이더로 묵묵히 있었다. 그러다
결국 아웃사이더로 퇴직했다. 그곳에서만 국한된 얘기가 아닐 것이다.
한국은 정치와 사회가 너무 일그러져 있어 살기 고달프다.
이곳 요르단은 동료들과의 시샘은 있지만 따뜻하다. 어려운 사람을 보면
도와주지 못해 안달한다. 직원이 교통사고가 나거나 집이 무너져 수리를
하게 된다면, 누군가 기부 리스트를 만들어 온다. 나도 3만 원씩 두 번이나
냈다. 얼마 안 되는 돈이겠지만 물방울 같은 돈이 모여 받는 사람의 가슴을
출렁이게 할 것이다.

'하난'은 다음 날 출근하지 않았다. "오늘은 출근하지 말라"는 문자를 내게
보내지 않고 결근한 것은 처음이다. 다른 직원한테 물어보니 통원치료
때문에 이번 주는 휴가를 냈다고 한다. 그녀가 없는 빈 사무실을
혼자 쓰니 편했다. 서류가 겹겹이 쌓였던 그녀의 책상에는 서류 대신
침묵이 쌓여 갔다.

그녀는 출근해서 점심도 굶은 채 쉬지 않고 일만 했었다. 화장실 가는
시간을 빼고는 늘 책상에 있었다. 그래서 나와 '하난'은 문화부에서 가장
늦게 퇴근했다. 나라도 먼저 가라고 하면 좋을 텐데 말이 없다. 퇴근시간이
지난 것도 모르는 것이다. 처음에는 짜증이 났으나 포기했다. 퇴근할
때도 못 다한 일을 잔뜩 싸서 집으로 간다. 그녀의 업무는 주로 문화부
홍보자료를 검토해서 잘못된 문장을 수정하는 것이었다. 지켜보는 내가
안쓰러워 조금만 쉬라고 했지만 막무가내였다. 그녀는 단호히 말했다.
"오늘 반드시 끝내야 해! 장관이 이 서류를 기다리고 있어요."

그런데 이상했다. 그녀가 죽자고 했던 일을 지금은 하는 사람이 아무도
없다. 혹시 다른 사람이 대신하고 있는지 여러 사무실을 돌아다녀 봤다.
그러나 어디에도 없었다. 그녀가 하던 일은 흔적도 없이 사라졌다. 일주일
내내 그녀의 휴가가 이어졌지만, 무심하게도 문화부는 아무 일 없는 듯
잘 돌아가고 있었다.

"이제까지 '하난'은 무슨 일을 한 걸까?"

10
아이야

누군가는 이해할 수 없는 일이 누군가에게는
이해해야만 하는 일이 될 수 있다.
'아이야'가 그랬다.

금요일마다 아랍어를 배우러 '암만'에서 버스를 타고 그녀 집으로 간다.
4시간 동안의 수업이 끝나면 가족 아닌 가족과 식사하고 놀다가 밤늦게
돌아온다. 집에 오는 길은 음악으로 마음을 달래야 할 정도로
늘 힘이 들었다. 언젠가는 돌아올 수 없는 길이고,
만날 수 없는 사람들이기 때문이다.

어제 수업이 끝났을 때 '왓츠 앱(Whats App)'을 통해 음성 메시지를 받았다.
지금 내가 수업 받고 있는 집 큰딸 '아이야'였다.
집에서 들어서는 안 될 내용 같아 일찍 나왔다.
10초밖에 안 되는 짧은 그녀의 목소리가 찬바람과 함께
가슴으로 훅 들이쳤다.

막내딸 '이스라'와 방문을 열어 놓고 수업을 하면서
'아이야가 왜 집에 없을까?' 하고 궁금해했었다.
누구에게 물어볼 수 없을 만큼 그녀는 가족과 대화 없이 한 달째
살고 있었다.
이렇게 따뜻한 가정에서 일어날 수 없는 일이기도 하지만, 아랍 문화에서
'아이야의 이혼'은 누구에게도 받아들일 수 없는 것이다.

지난주 금요일 그녀는 예쁜 꽃이 그려진 히잡을 쓴 채
내 옆에 와서 조용히 말했다.
"스무 살에 결혼해서 남편과 10년 살았어요. 더 이상 살 수 없어
이혼했어요."
어린 두 딸은 데려오지 못하게 해서 아이들 아빠 집에 있다고 했다.
그날, 그녀는 나를 밖으로 몰래 불러내 아빠 차를 타고 온
아이들을 보여 줬다.

금요일마다 그녀의 집에 가는 나는 '아이야'의 유일한 대화 통로였다.

가족은 그녀가 집에 있는 것조차 불편해했다.

나는 가족에서 혼자 떨어져 나온 그녀가 안돼 보였다.

식사할 때는 그녀를 불러서 옆자리에 앉혀야 할 정도로 '아이야'는 혼자였다.

오랫동안 살갑게 살아온 엄마와의 관계도 포기한 채

'아이야'는 자신이 살고자 하는 길을 선택한 것이다.

그런 그녀가 애틋해서 나는 시간 날 때마다 그녀 곁에 앉아

아랍어를 물어보곤 했다.

금요일마다 내가 집에 오는 것을 아는 '아이야'는 지금 내게 메시지를 보냈다.

아주 먼 곳! 한동안 그녀가 서 있어야 하는 곳에서.

그녀의 당당하고 겨울 꽃 같은 목소리는, 결국 돌아오는 버스 안에서

나를 눈물 흘리게 했다.

"잘 있나요? 나는 지금 뉴욕에 있어요."

11
돌아올 거야

욕조에 물을 가득 채워 이불을 담가 둔 지 5일째다. 수면 양말과 흰 잠옷에 붉은 빛깔이 묻어 있어 '무슨 일인가?' 했더니, 값싼 꽃무늬 이불에서 붉은 물이 배어 나왔다. 욕조에 담가 둔 채 지근지근 밟아 물을 뺀 뒤 이불을 짜서 베란다에 널어 두고 늦게 집을 나섰다.

쌀쌀한 날씨는 며칠째 이어졌다. 지난주 왓츠앱에서 지금 뉴욕에 있다는 '아이야' 소식을 접한 후 처음 그녀가 없는 집으로 간다. 일주일에 한 번씩 6개월을 다녔기 때문에 식구 모두 가족 같다. 처음에는 막내딸 '이스라'한테 아랍어 과외를 받기 위해서 갔으나 지금은 긴 주말 할 일이 없어서 간다.

요르단에 와서 처음 가 본 현지인 집이었다. 배타적 문화를 가진 무슬림이 다른 나라에서 온 사람을 집에 들이는 것은 쉽지 않은 일이다. 나는 고급 호텔보다 현지인 집에서 가족처럼 지내는 것이 편하다. 코이카에서 시행하는 현지 홈스테이는 내가 가장 좋아하는 프로그램이다. 단원이면 2주간 의무적으로 현지인 집에서 머물러야 한다. 낯선 현지인과 언어 문제, 음식과 문화의 부조화 등을 겪는 이 프로그램을 일부 단원들은 부담스러워했다. 나는 이 프로그램 덕분에 가족 같은 현지인이 생겼다.

처음 그녀 집에 간 날이었다. 2주간 생활할 짐을 방에 내려놓고 '이제 뭘 해야 하나?' 하고 서 있을 때 '아이야' 아버지가 나를 부엌으로 데려갔다. '만샤프'를 준비해 놓고 모두 나를 기다리고 있었다. '만샤프'는 요르단에서 가장 유명한 전통음식이다. 귀한 손님이 올 때 '우리는 형제다'라고 환영하며 대접하는 최고 음식이다. 양고기를 쪄서 양념이 잘 된 밥과 함께 내놓는다. 맛은 있으나 먹는 방법이 문제. 오래된 전통에 따라 맨손으로 먹어야 했던 것이다. 호의를 진심으로 받는다면 그들과 함께 맨손으로 먹어야 한다.

비위가 상했다. 양고기를 맨손으로 뜯고, 소스에 버무린 밥과 반찬도 맨손으로 집어 먹어야 한다. 그들은 걱정스러운지 숟가락을 갖다주었지만 나는 마다했다. 밥을 먹으면서 도무지 이해가 안 갔다. '포크와 숟가락을 사용하면 편할 텐데 왜 맨손인가?' 양고기는 맨손으로 먹기 편했으나 밥과 반찬은 맨손으로 먹기 힘들었다. 그래서 먹기 편한 양고기를 먼저 먹고 소스에 젖은 밥은 조금씩 먹으며 빨리 식사가 끝나기를 기다렸다.

내 용기에 그들이 감동했는지 식구들은 티 나게 나를 좋아했다. 2주 후 현지 적응훈련이 끝났다. 그들과 그냥 헤어지기 아쉬웠던 나는 대학을 나온 막내딸 '이스라'한테 개인 과외를 받고 싶다고 말했다. 당연히 가족들은 좋아했다. 내 과외비가 한 달 월급과 맞먹어 생활에 도움이 될 것이기 때문이다.

큰딸 '아이야'의 이혼은 그녀 아버지한테 들었다.
금요일이면 그녀는 딸을 데리고 아버지 집에 오곤 했다.
오늘은 부엌에 있는 소파 위에서 이불을 뒤집어쓰고 자고 있다.
늘 히잡을 단정하게 두르고 거룩하게 이방인을 대하는 무슬림 여자의
태도가 아니었다. 이상하다는 생각을 했다. 내 눈치를 알았는지 그녀
아버지는 '아이야'가 지금 이혼한 상태라고 말했다. 나는 깜짝 놀랐다.

막내딸 '이스라'에게 과외를 받고 있으면 열린 방문을 지나치는 '아이야'가
자꾸 신경 쓰였다. 그렇다고 무슬림 여자와 단둘이 있는데 방문을 닫자고
할 수도 없었다. 안 그래도 힘든 아랍어 수업인데 도통 집중이 안 됐다.
"언니가 뭣 때문에 이혼했니?" 하고 묻고 싶은 것을 꾹꾹 참았다. 무슬림
국가에서 이혼은 드문 일이다. 내가 아무리 오지랖이 넓다 해도 물어보기는
힘든 질문이다. 더구나 '이스라'도 언니가 막 이혼해서 속상해하는 것
같았다. 생각지 못한 가정에서 이런 일이 벌어져 손님인 내가 불편했다.
수업이 끝나자 '아이야'가 내 옆에 와서 슬며시 앉는다. 이 집에서 그녀와
얘기할 수 있는 사람은 나뿐이다. 동생 '이스라'조차 언니를 미워한다.

커피를 끓여 내게 갖다주면서도 옆에 있는 언니는 본체만체한다. 나는 '이스라'가 준 커피를 '아이야'에게 주면서 작은 소리로 말했다.

"이혼 이유를 물어봐도 돼?"

"어차피 알게 될 텐데." 하며 그녀는 웃으며 귓속말을 했다.

"싸우지 않고 살고 싶어서요."

그 후 가족과의 관계도 엄청 나빠졌다. 남편과 그만 싸우려고 이혼한 그녀는 이제 가족과 싸워야 했다. 이혼을 용납하지 못하는 엄마가 아이들을 집으로 데려오지 못하게 해서 혼자 왔다고 한다. 그녀는 갈 곳이 없는 것이다. 엄마는 생각했을 게다. '아이들을 집에 못 오게 하면 딸이 남편한테 돌아가지 않을까?'

그날 집으로 돌아오며. 나이 서른에 이혼하고 가족으로부터 소외된 '아이야'를 생각했다. 남편과의 이별보다 어쩌면 엄마와의 이별이 더 마음 아팠을 것이다.

2주 전, 그녀는 가족 몰래 나한테 와서 말했다.

"요르단에서 살고 싶지 않아요. 미국으로 가고 싶어요!"

그녀가 이렇게 빨리 떠날 줄은 몰랐다. 어린 두 딸에게는 '아이야'의 부재가 엄마의 부재일 것이다. 아이들을 남겨 두고 혼자서? 히잡을 쓴 채 거친 뉴욕 생활을 어떻게 할까?

집으로 오는 택시 안에서 그녀가 보낸 음성 메시지를 다시 들었다.

"잘 있나요? 나는 지금 뉴욕에 있어요."

왓츠앱으로 '아이야'에게 문자를 보냈다.

"아나 할라 칼카안 알레이키(나는 지금 너를 걱정하고 있다)."

"미국에서 혼자 어떻게 살고 있는 거니?"

답장이 왔다.

"지금 친구 집에 있어요. 일을 찾고 있는 중이에요."

내 휴대폰에 있는 두 딸의 사진을 보내 줬다.

내가 그녀 집에서 '아이야' 가족을 처음 만난 날 찍어 둔 사진이다.

"나는 지금 울고 있어요!"

그녀가 내게 보낸 마지막 소식이었다.

집으로 오는 길은 어둠이 들어차 까맸다. 바람이 일고 차가운 비가 내렸다. 택시 앞 유리창에 쏟아진 비가 이리저리 흩어졌다. 와이퍼는 덜그럭거리며 쉼 없이 겨울비를 닦고 닦았다.

'아이야'는 돌아올 것이다.

메마른 땅,
꽃보다
아름다운
아이들

12

용서하소서

무장 병력이 있는 세 번째 출입문까지 왔다. 신분을 확인한 보안요원이
철조망 문을 열었을 때 수만 개 컨테이너 위에 햇살이 쏟아지고 있었다.
할리우드 영화사 세트장 같은 어마어마한 규모였다. 컨테이너(이동식
주택)에는 시리아 난민 9만 명이 살고 있다. 마른 땅 위에 다닥다닥 붙은
성냥갑 같은 창고가 낮은 언덕을 따라 들판 끝까지 펼쳐져 있었다.

생전 처음 보는 가슴 아픈 현장이 숨을 멈추게 했다. 현실의 땅이 아닌
잊을 수 없는 곳. '자타리(Zatari) 난민 캠프'였다. 이 캠프는 요르단 북쪽
도시 '마프라크'에 위치한 세계 최대 규모인 시리아 난민 수용소다.

시리아 국경에서 불과 15㎞밖에 떨어져 있지 않았다. 시리아 내전 발발 직후 난민이 무더기로 국경을 넘자 요르단 정부가 2012년에 조성했다. 경제적 지원이 뒷받침되지 않아 세계에서 가장 열악한 난민 캠프가 됐다.

철조망 바깥은 꽃이 한창인데, 이곳에는 꽃이 피고 지는 언덕이 없었다. 봄이 세 번 다녀갔지만 꽃은 피지 않았다. 아랍어로 '안녕!(마르하바)'이라고 써 놓은 컨테이너 사이에 따뜻한 빨랫줄이 걸려 있고, 그 줄을 따라가면 골목이 나온다. 그 길 끝에는 또 다른 컨테이너 골목이 언덕으로 이어지고, 역시 언덕에 꽃은 없다.
아이들은 책가방을 멘 채 그 언덕을 내려오고, 물탱크 차가 먼지를 흩뿌리고 지나간다. 한 뼘 남은 해는 꽃 없는 언덕을 비추다가 노을과 함께 진다.

'서울은 봄꽃이 한창일까?'
국회의원 후보들이 지나가는 사람 없는 길 위에 엎드려 큰절을 하는 가엾은 봄날. 나는 시리아 난민촌에 세 번 들어갔다. 아이들에게 영화를 보여 주려고 만든 '시네마천국' 활동 때문이다. 다음 행사를 이곳에서 꼭 하고 싶었다. 외부인 출입이 엄격히 통제되는 지역이라 봉사활동을 하려면 유엔난민기구(UNHCR) 승인이 나야 했다.
그들은 '자타리 캠프'의 비참한 현실이 세계 언론에 공개되는 것에 무척 예민하다. 활동 취지와 출입자 신원을 보내야 하는 까다로운 절차 때문에 섭외도 힘들었다. 아이들에게 한국영화를 보여 주고, 봉사단원과 하루 종일 뛰놀 수 있는 프로그램을 짜려고 답사를 온 것이다.

어느 난민 가족이 우리 팀을 초대했다. 밀폐된 컨테이너 안에는 천장에
매달린 전구 하나, 낡은 TV 한 대, 옷과 이불 등을 가리는 커튼이 걸려
있었다. 이웃 주민과 동네 아이들 수십 명이 우리를 빙 둘러앉았다.
나는 어른들보다 아이들이 훨씬 많은 이유가 궁금했다.
"집집마다 아이들이 많은 것 같아요?"
"난민 캠프에서 살려면 아이를 많이 낳아야 합니다."
UN 난민 보호 단체로부터 생활비 월 4만 5000원을 식구 수대로 받기
때문이다. 그래서 매일 50명의 새로운 생명이 태어나고 있었다. 생존을
위해서 아이를 많이 낳아야 하는 난민촌 사람들에게는 씨를 뿌려
꽃을 피울 봄이 없다. 오늘처럼 내일이 오고, 그 건조한 내일을 사는
아이들이 꽃보다 아름답게 자라 주길 바랄 뿐이다.

아이들에게 무슨 선물이 좋으냐고 묻자 하나같이 말한다.
"한국 초코파이가 제일 좋아요!"
어떻게 초코파이 명성이 이곳까지 알려졌을까? 놀랍고 뿌듯했다.
'그래, 너희가 꽃은 볼 수 없어도 초코파이는 먹을 수 있을 거야!'
초코파이 250명 분량을 구하려고 암만(요르단 수도) 대형 마트를
찾아다녔다. 한곳에 초코파이가 있었지만 10명분뿐이었다. 일주일 후에
마련해 놓겠다고 해서 다시 갔다. 한 박스밖에 남아 있지 않았다.
지배인은 일주일만 더 시간을 달라고 말했다. 그의 약속을 믿었으나

그나마 남아 있던 것도 없었다. 마지막 방법이었다. 한국 초코파이 본사에
250명분을 보내 달라는 메일을 썼다.

"'자타리 난민 캠프'를 아시나요? 시리아 전쟁을 피해 넘어온 사람들이
거주하는 곳입니다. 그곳 아이를 대상으로 봉사활동을 하려고 합니다.
아이들이 학용품보다 초코파이를 더 원합니다. 요르단에서는 250명 분량을
구할 수 없어 부득이 오리온 본사에 메일을 보냅니다."
(이번 행사에 관련된 '시네마천국' 활동 계획서를 첨부합니다.)

바로 답신이 왔다.

"오리온 제품을 사랑해 주서서 감사합니다. 오리온에는 개인 협찬 관련
프로그램이 없어 도와드리지 못하는 점 양해 바랍니다. 앞으로 더욱 발전된
오리온이 되도록 노력하겠습니다."

희망은 사라졌다. 시리아의 눈물 같은 아이들 희망이다. 초코파이로
아이들을 기쁘게 해 주려던 기대가 무너졌다. 이제 무엇을 가지고 가야
하나? 어떤 프로그램이 아이들의 슬픔을 달랠 수 있을까? 행사 일주일
전부터 나는 몹시 뒤척였다.

난민촌 아침. 태권도 학교 강당에서 행사가 시작됐다. 시네마천국은
야외에서 영화를 보여 주는 행사다. 그러나 '자타리' 캠프에서는 야간

활동을 할 수 없다. 영화를 보려면 어두워야 하는데 유엔난민기구에서 승인해 주지 않았다. 수백 명이 깜깜한 밤에 모이면 아이들이나 시네마 팀원들이 위험하다는 이유 때문이다.

빛이 들어오는 창문과 지붕을 담요로 일일이 덮었다. 밤에만 전기가 들어오기에 발전기를 돌려 전원을 공급했다. 250명의 아이들은 상기된 표정이었다. 장소가 좁아 행사에 초대받지 못한 난민촌 아이들은 철조망 밖에서 행사가 끝날 때까지 서성거렸다.

해가 '자타리' 캠프 중천을 넘어설 때 시네마천국 활동은 끝났다. 게임을 하고 사물놀이, 난타를 공연했다. 마지막에는 만화영화와 함께 아이들이 난민촌을 뛰어다니는 영상을 보여 줬다. 초코파이 없이도 아이들은 즐거워했다. 우리 팀은 그 아이들과 함께 쉼 없이 뜀박질했다. 온통 땀으로 보낸 하루였다.

답사 가서 찍은 아이들 영상을 편집하는 데 일주일이나 걸렸다. 미리 카메라에 담아 온 아이들 영상에 슈베르트 '아베 마리아(Ave Maria)' 곡을 입힐 때 나는 눈물을 흘렸다. 꽃이 없는 봄 언덕을 오르내려야 하는 난민촌 아이들. 전쟁이 끝나야 고향으로 갈 수 있는 기약 없는 기다림. 그들에게는 바깥은 없는 세상인 것 같았다.

정작 행사 당일은 슬프지도, 난민촌 아이들이 가련하지도 않았다. 프로그램을 만든 우리보다 아이들 목소리가 더 크고 쟁쟁했다. 그들이 '자타리' 언덕에 피는 꽃이었다.

어른들이 만든 꽃이 없는 봄 언덕에서 아이들은 우리를 위해
기도하는 것 같았다. '아베 마리아' 기도를.

"성모 마리아여! 우리 어른들을 용서하소서."

Il 6 Maggio 2010
Nostra Signora del Monte
ha pianto sangue ad Anjara

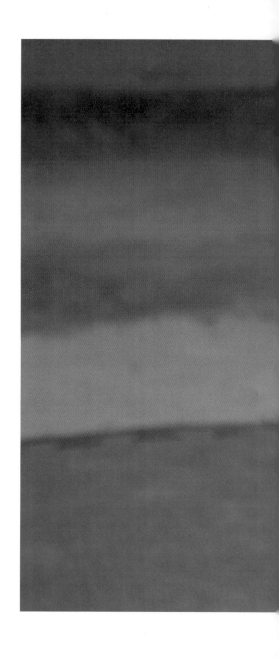

13

양들은
침묵한다

양들은 침묵한다.

겨울이 끝나면, 들판에는 태양만 있고 풀이 없기 때문이다. 비는 겨울에
억수로 내리고 다음 겨울까지 오지 않는다. 겨울에 내린 비로 나무들은
한 해를 산다. 양은 무진장 많고, 여름인데도 비가 오지 않아 요르단에는
먹을 풀이 없다. 푸름이 없는 사막에서 양들은 쓸쓸하다. 무엇인가를 뜯고
있는데 풀은 보이지 않는다.

'돌 틈새에 마른 싹이라도 있는 건가?'

8월의 요르단은 햇빛뿐이다. 어제 요르단 수도 '암만'은 올해 최고 기온을 찍었다. 암만 시내에 설치된 온도계는 52도를 가리키고 있었다. 10년 이래 최고 기온이라고 한다. 웬만한 더위는 잘 적응하는 편인데 퇴근할 때는 정말 덥다는 생각이 들었다. 골목은 햇빛으로 눈이 부셨고, 바람조차 태양에 말랐다. 터덕터덕 걷는 내 옆을 검은 '차도르(눈을 제외하고 전신을 가리는 옷)'를 뒤집어쓴 여자들이 조용히 지나갔다.

비가 그립다. 이제는 비가 오더라도 우산 없이 비를 맞고 다닐 수 있다. 요르단에 온 첫해 겨울에는 비가 자주 왔었다. 외출할 때는 불편해도 접이식 우산을 배낭에 꼭 넣고 다녔다. 비 오는 날 우산을 쓰고 걷는 사람은 나뿐이었다. 요르단 사람들은 우산을 가지고 다니지 않는다. 비가 오면 그냥 비를 맞고 다닌다. 요르단 사람들이 비를 맞고 다니는 이유가 있다. 이들에게 비는 축복이고 1년을 기다린 희망이기 때문이다.

비가 많이 오면 요르단은 휴일이다. 비 오는 날 발목까지 잠기는 고인 물을 피해 문화부에 도착하니 현관문이 닫혀 있었다. '무슨 일인가?' 하고 생각하면서 30분을 기다렸다. 시설 관리인이 와서 오늘 휴일이라고 한다. 놀라운 일이다.
'이 정도 비에 휴일이라니?'
'나라 전체가 공휴일이면 일은 누가 하나?'

수도인 '암만'은 비가 조금만 와도 물난리다. 빗물이 높은 곳에서 낮은 곳으로 흘러내려 저지대 길과 주택 골목은 연못이 된다. 배수 시설이 전혀 안 돼 있기 때문이다. 정부는 겨울 한철 오는 비 때문에 막대한 예산을 들여 배수시설을 설치할 수 없다. 그저 비가 오면 공휴일로 지정해서 물난리에 대비한다. 그것이 경제적이라고 판단하는 것 같다.

비보다 눈이 올 때 공휴일이 잦다. 눈은 조금만 와도 공휴일이다. 아니, 기상청에서 눈이 올 거라는 예보만 해도 공중파 TV는 휴일을 공표한다.
"오늘 눈 예보가 있어 학교를 비롯한 모든 공공 기관을 공휴일로 지정합니다."
이런 자막을 TV에서 보고 시민들은 출근하지 않는다.
나는 집에서 TV를 보지 않기 때문에 출근했다가 여러 번 돌아오곤 했다.
여기에는 스노 체인도 없고 제설차도 없다. 눈이 오면 도로가 미끄럽기 때문에 택시 외에는 차가 다니지 않는다.
요르단에서의 첫 겨울, 눈 때문에 일주일 넘게 공휴일이 된 적도 있었다.
이들은 눈이 올 때 도로에 제설제를 뿌리는 한국을 이상하게 생각한다.
"집에서 쉬게 하지, 왜?"
나는 공휴일이 많은 요르단이 마음에 든다.

요르단에서 지정되는 공휴일 수는 한국의 3배는 되는 것 같다. '라마단' 축제, 국왕 생일 등 비나 눈이 오는 이외의 날도 걸핏하면 휴일이다.
출근해도 일하는 시간보다 기도하는 시간, 차 마시며 수다 떠는 시간이 더 많다. 무슬림은 의무적으로 하루 5번 기도한다. 시간을 정해 단체로 하는

것이 아니다. 일정한 시간대에 개인별로 알아서 하면 된다. 일을 하다가
적당한 시간에 화장실로 가서 세면을 한 후 양탄자를 깔고 기도한다.
남자는 주로 사무실에서 하고, 여자는 따로 마련된 장소에서 한다. 5분 정도
걸린다. 기도하는 시간에는 전화도 받지 않는다. 문화부 장관도 비서가
기도하는 중이라고 하면 찾지 않는다. 남녀가 나뉘어서 각자 기도하는 이런
직장에서 일의 능률을 기대하기는 어렵다.

모든 공공기관은 오전 8시에 출근해서 오후 3시에 퇴근한다. 장관이
비서보다 먼저 출근하고 늦게 퇴근하는 경우가 많다. 비서가 정시 출퇴근
버스를 타야 하기 때문이다. 퇴근 10분 전에 모두 버스에 앉아 출발을
기다리고 있다. 한국은 죽기 살기로 일하는데 이곳에는 그런 사람이 없다.
살아가기 위해 필요한 것을 만들고 쓰는 활동을 경제라고 한다. 경제 논리를
무색하게 하는 나라다. 만드는 사람은 없고 쓰는 사람만 있는 나라가
요르단이다. 경제를 이끌 성장 동력도 없으면서 일조차도 안 한다.

문화부 친구에게 이해할 수 없는 요르단 경제에 대해 물어본 적이 있다.
"공공기관 직원들이 일찍 퇴근하는 데다 휴일도 많은데 어떻게 국민이 먹고
살지?"
"나도 그것이 궁금해."
"정부도 돈이 있어야 국민을 통치할 수 있을 텐데?"
"미국과 사우디에서 돈을 빌려 와서 쓰고 있어."
"그럼 그 돈은 어떻게 갚아?"

"한 번도 갚은 적이 없어. 그냥 빌리기만 해."

요르단은 중동국가 중에서 대표적인 미국 우방국이다. 매년 10억 달러 이상
경제·군사적 지원을 받고 있다. 요르단을 제외한 주변 국가들은 산유국으로
잘살고 있다. 요르단에는 석유가 매장되어 있지 않은 이유를 물었다.

"인접 국가는 석유가 넘치는데 요르단에는 왜 석유가 없는 거야?"

"땅을 파면 나올 거야. 그런데 정부가 안 하는 거야."

"아니 왜? 나라가 부자가 되는데?"

"몇년 전 중국 기업이 '아카바(요르단 남부, 사우디 인근 지역)'에서 석유
사업을 하고 수익금을 50:50으로 나누자고 요청했는데 정부가 거절했어."

"어째, 그런 일이? 수익금 배분 문제 때문에?"

"아니, 석유가 나면 미국과 사우디아라비아에서 공짜로 돈을 빌려 올 수
없어서 석유 사업을 반대하는 거야."

"미국과 사우디아라비아에서 빌려 오는 돈은 어디에 쓰는 거야?"

"70%는 국민들을 위해 쓰고, 30%는 국가 관리들 주머니에 들어가."

놀라운 일이다. '절대적 믿음으로 무장된 무슬림들에게도 이런 비리가
있다니?' '결국 종교와 사회질서는 별개의 것이구나?'라고 생각하고 있는데
친구는 덧붙였다.

"그러니 정부가 왜 석유 사업을 하겠어. 그들한테는 지금이 제일 좋은데."

나는 믿을 수 없어 크게 말했다.

"근데 왜? 국민들이 가만있어?"

"그냥 침묵하는 거야!"

"……"

'트램펄린'은 지금 어디에 있나?

도대체 알 수 없는 일이다. 다른 곳에 배달된 것은 아닐까? 아니면 재고가
없어 배달하지 않은 것인가? 몇 번이나 고아원에 전화해 봤지만 트램펄린은
오리무중(五里霧中)이다. 협력활동 시네마천국 행사를 통해서 고아원
아이들에게 기증한 것인데 행사 당일에 도착하지 않았다. 문제는 행사가
끝나고 장비를 철수할 때까지도 도착하지 않았다는 것이다.

분통이 터질 일이다.

이번 행사는 조짐이 심상치 않았다. 행사를 며칠 앞두고 사막 돌풍을
동반한 황사가 요르단 전역을 덮쳤다. 바람이 멈춰 선 하늘에 먼지가
꼼짝 않고 서 있다. 3일이 지났지만 아직도 세상은 부옇다. 하지만 오늘
행사는 취소할 수 없다. 15명이나 되는 팀원과 자원봉사자들의 일정을
다시 맞추기도 어렵다. 모래가루를 씹으며 시네마천국 팀이 간신히 버틴
하루였다.

'빌어먹을 트램펄린까지.'

올해 마지막 시네마천국 활동은 특별한 곳에서 하기로 팀원과 협의했다.
한 번도 해 보지 않은 기숙 고아원이 좋겠다는 결론이 났다. 요르단 고아는
한국과 다르다. 한국은 부모가 모두 없어야 고아로 등록되지만 요르단은
부모 중 어느 한쪽만 없어도 고아라고 부른다. 그러다 보니 요르단은 고아가
많다. 대부분 고아들이 집에서 한 부모와 생활하다가 고아원으로 공부하러
간다. 그런 이유로 숙식을 하는 고아원은 많지 않다. 현지인 친구에게 기숙
고아원 소재를 알아내서 팀원과 함께 답사를 갔다.

'암만' 시내에서 버스를 타고 동쪽으로 30분을 갔다. '따바르부르' 마을
언덕에 국립 고아원(SOS Children's Village)이 있었다. 철조망에 둘러싸인
20여 채 집들이 언덕 경사를 따라 옹기종기 모여 있었다. 이 집에서
아이들이 먹고, 자고, 교육도 받는다.
고아원 원장과 면담 후에 놀이기구를 코이카(KOICA) 이름으로 기증하고

싶다고 했다. 고아원 원장은 요즘 아이들이 좋아하는 트램펄린을
원했다. 이것은 한국에서도 한때 인기 있었던 어린이 놀이기구다.
'트램펄린(Trampoline)'이라는 사람이 체조 훈련용으로 고안한 것이
놀이기구로 바뀐 뜀뛰기 틀이다. 자칫 어린 아이들한테 위험할 수 있기
때문에 사이즈가 크고 울타리가 높은 것으로 사야 한다.

마침 암만에서 가장 큰 '까르푸(Carrefour)' 매장에서 좋은 트램펄린을
특가로 팔고 있었다. 우리 팀은 남은 예산 340디나르(50만 원)를
'SOS' 고아원 아이들에게 몽땅 썼다.
요르단에서 50만 원은 직장인 한 달 월급이다.
많은 돈을 낸 만큼 반드시 행사 전날(9일) 고아원으로 배달하고
설치까지 해 달라 요청했었다.
혹시나 해서 행사 전날 배달이 됐는지 확인했다. 배달이 안 됐다고 한다.
아니, 꼭 해 주기로 했는데 무슨 말이냐고 소리쳤다.

"내일 배달됩니다."
퉁명스러운 대꾸만 돌아왔다. 나는 갑자기 불안해지기 시작했다.

"내일 된다"에서 그 '내일'은 믿을 수 없는 날이다. 요르단 사람들은 내일을
좋아하기 때문이다. 걸핏하면 내일이라고 한다. 내일은 아랍어로 '부크라'다.
무엇을 부탁하기만 하면 무조건 "부크라, 부크라"다.
이들이 말하는 '부크라'는 '오늘 바로 다음 날'에 된다는 의미가 아니다.

언제 될지, 혹은 안 될지 잘 모른다는 뜻으로 이해해야 한다.
시간 개념이 없는 사람들이라는 것을 알고 있기에 배송 담당자가 말한 그
내일은 믿기 어려운 날이다.

"내일이 행사 날이다. 꼭 물건이 도착해야 한다."
사정 반, 협박 반으로 그와 통화를 끝냈다. 이번 경우는 '원래 그런
사람들이니까'로 웃고 넘길 일이 아니다. 행사 당일에는 반드시 물건을
받아야 했다. 트램펄린이 와야 행사가 온전히 진행되는 것이다.

시네마천국 행사(10일)는 오후에 시작했다. 철석같이 내일을 약속했기
때문에 행사가 끝나기 전에는 도착하겠지 했는데 마지막까지 트램펄린은
오지 않았다. 이러면 활동예산 정산이 복잡해진다. 고아원에 트램펄린을
설치해서 아이들이 뛰놀고 있는 사진을 찍어 영수증과 함께 첨부해야 한다.
배달이 잘못되면 내가 변상해야 할 것이다. 그 큰돈을 내가 물어낼 생각을
하니 한숨이 쏟아졌다. 밤까지 기다렸으나 도착하지 않았다. 매장에서
결제한 영수증을 들고 수없이 전화했다. 너무 화가 났다.

행사 장비를 철수해서 버스에 몽땅 실어 놓고 원장을 불러
트램펄린 회사에 확인을 부탁했다. 고아원 원장 태도는 나를 더
화나게 했다. 고아원 아이들을 위해서 열 명이 넘는 봉사자가 황사를 먹으며
종일 뛰어다녔다. 더구나 활동 예산을 아껴서 거금 50만 원짜리 놀이기구를
고아원에 선물했다. 그런데 원장은 기증품보다 퇴근시간이 늦는 것을

걱정하는 눈치다. 나는 물건이 안 와서 속 타고, 원장은 퇴근이 늦어서 속 타는 어처구니없는 형국이다.

다음날(11일) 영수증에 적힌 전화번호로 트램펄린 회사에 전화했다. 어제 배달하지 않은 이유를 따졌다. 상담원은 확인 후 바로 전화를 주겠다고 했다. 전화가 안 왔다. 다시 전화하니 다른 상담원이 받았다. 똑같은 말을 반복한 후 끊었다. 세 번째 사람도 같은 말을 하기에 이름과 전화번호를 물었다. 그는 '모터스'라고 이름만 알려 줬다. 10분 후에 반드시 전화를 주겠다는 그도 결국 함흥차사였다.

황사가 걷힌 저녁 길을 산책하며, 물건을 팔 의지가 없는 황당한 회사에 나도 황당한 방식으로 전화를 해댔다. 30분 후에는 내 전화가 바로 끊겼다. 한국에서는 있을 수 없는 일이다. 이들은 아등바등 돈을 벌려는 민족이 아닌 것 같다. 일도 열심히 하지 않는다. 악착같이 물건을 팔고 싶어 하는 한국이 그리웠다. 내가 한국을 그리워한 것은 처음이었다.

아침에 다시 전화했다. 역시 착신 금지였다. 다른 방법은 나한테 물건을 팔고 50만 원이라는 거금을 받은 매장 매니저에게 전화하는 것이었다. 그는 나를 알고 물건을 판 날과 배송 날짜까지 알고 있었다. '진작 너에게 전화할걸.' 매니저는 확인해 보고 바로 전화를 주겠다고 한다. 왠지 느낌이? 역시 30분 후에도 전화가 없었다. 내가 전화를 하니 받지 않고 끊는다.

10분 후 다시 끊었다.

'도대체 트램펄린에 무슨 문제가 있어 내 전화를 피하는 거야?'

'까르푸'로 달려갔다. Refund 코너로 가서 환불을 요구했다.

매니저가 나를 설득했다.

"내일 반드시 배달시킬게."

나는 헛헛 웃으며 말했다.

"그놈의 '내일'은 언제냐? 트램펄린은 생각도 하기 싫다. 이해할 수 없는 회사에서 파는 물건은 안 산다. 나는 한국에서 파견된 봉사자다. 너희 나라 고아원에 기증하려고 물건을 구매했다. 이미 행사가 끝났다. 내 돈 340디나르를 당장 내놔라!"

어쩔 수 없었는지 그는 서랍에서 400디나르를 꺼내 내게 준다. 아니! 가격을 내가 잘못 알고 있었나? 영수증을 확인해 봤다. 분명 340디나르(50만 원)에 산 물건이다. 근데 왜 400디나르(60만 원)를 주지? 퍼뜩 생각났다. '아! 그때는 할인된 가격이었고, 지금은 정가로 판매하기 때문이구나.' 트램펄린 회사에서 상품을 배달하지 않는 이유도 알 것 같았다. 할인해서 판 상품을 배달하지 않고 나중에 정가로 팔 욕심이 아니었을까?

그에게 더 받은 10만 원을 들고 어떻게 할까? 고민했다. '돌려줄까? 말까?' 머릿속이 바쁘다. 좋은 일 하려다가 된통 당한 것을 생각하면, 모른 체하고 돈을 주머니에 넣어야 마땅했다. 10만 원이면 '시네마천국' 팀원들이 회식을

푸짐하게 할 수 있는 돈이다. 하지만 나는 한국에서 온 봉사자라고 이미
말했다. 만에 하나 들키면 망신이다.

빨리 결정해야 했다. 도망가든지, 남는 돈을 돌려주든지.
이런 일로 망설이는 내 자신이 한심해 10만 원을 카운터에 '툭!' 올려놓고
그를 쳐다봤다. 아까웠다. "왜 그래" 하면서 그는 영문 모르는 돈과
영수증을 확인하고 또 확인한다. 눈을 동그랗게 뜨고 나를 돌아보더니
갑자기 카운터에서 튀어나왔다.
와락 나를 껴안고 그는 소리쳤다.

"오! 하비비!(좋은 내 친구) 하비비!"

"젠장!"

15

돌 깨는
소리

아내가 수술실에서 나왔다.

레이저 수술이 힘들었는지 기진맥진한 모습이었다. 의사는 하루 4ℓ의
물을 마시고 상태를 지켜 본 후 내일 오전 퇴원을 해도 된다고 말했다.
의료보험이 안 돼 걱정하는 내게 의사는 진료비가 500디나르(75만 원) 정도
될 것이라고 했다. 의사와 간호사들은 친절했고 6인실 병실은 텅 비었다.
새벽부터 이어진 지난한 일들이 모두 끝났다.

다음날 퇴원 수속을 하려다가 깜짝 놀랐다. 병원비가 너무 많이 나왔다.
80만 원을 예상했는데 무려 160만 원이 넘었다. 사정해서 병원비를 8%

할인받기는 했지만 1박 2일의 병원비가 터무니없이 비쌌다. 나중에 알았지만
아내가 수술 받은 '아랍 메디컬 센터'는 사우디에서 운영하는 사설 병원으로
요르단에서 가장 비싼 병원이었다. 국립 병원인 '요르단 대학병원'이나
'후세인 군인병원'은 '아랍 메디컬'보다 병원비가 쌌다. 작년 신체검사를
'아랍 메디컬 센터'에서 받은 기억이 있어 이 병원으로 온 것이었다.
병원을 나오는 내내 비싼 병원비로 속이 쓰렸다.
'아내는 요르단에 여행 온 건지? 수술 받으러 온 건지?'

내가 요르단에 파견된 지 1년이 넘었을 때 아내는 둘째 딸과 함께 요르단에
왔다. 요르단은 가족에게 신기함보다 불편함을 많이 줬다. 을씨년스러운
겨울 날씨, 달고 느끼한 음식, 택시타기 불편함 등……
일터로 출근하고 나면 아내와 딸은 내가 살고 있는 아파트에만 있었다.
바깥출입 없는 가족을 처음 초대해 준 것은 문화부에서 내가 가장
좋아하는 친구 '이싸'였다. 그는 75세 된 아버지와 아내, 아들 넷을 둔
팔레스타인 출신이다. 커피와 차를 끓여 문화부 직원들에게 대접하는 일을
하면서도 늘 즐겁게 산다. 그는 우리 가족이 오기 전부터 우리를 초대하고
싶다고 말하곤 했다. 오늘 휴일을 맞아 차를 가지고 내 집으로 왔다.
요르단 유명 관광지인 '페트라'나 '와디럼'보다 현지인 집을 방문하는 것이
아내와 딸한테는 좋은 추억이 될 것이다. 나는 그의 가족에게 줄 선물로
한국 달력, 인삼차, 비누 세트 등을 들고 그의 집으로 갔다.
'이싸' 가족은 우리를 기다리고 있었다. 집은 요르단 수도 '암만' 변두리에
위치한 팔레스타인 '바카(Baqaa)' 난민촌 뒷산 외딴집이었다.

가난하게 살고 있을 것이라는 예상과 달리 꽤 괜찮은 집이었다. 가구와
실내 장식 등이 한 달 월급 40만 원으로 사는 가정 같지 않았다. '이싸'는
거실로 우리를 안내한 후 가족들을 소개하고 미리 준비한 식사를 가져왔다.
그의 아내가 직접 준비했다는 '만사프'는 정성이 가득했다. '만사프'에는
먹음직스러운 닭고기가 올려져 있었다. 원래 '만샤프'는 전통적으로
양고기를 사용하는데 양고기 값이 비싸서 대신 닭고기를 쪄온 듯했다.
다행히 닭고기를 좋아하는 딸이라 먹을 수 있을 것 같았다.

그런데 딸보다 아내한테 문제가 생겼다. 막 식사를 시작하려는데 배가
아프다며 거실로 들어가 눕고 말았던 것이다. 음식을 준비한 '이싸' 부인한테
미안하기도 했다. 한 번도 이런 일이 없었기 때문에 느낌이 나빴다. '이싸'
부인이 끓여 온 차를 마신 아내는 괜찮아졌다며 다시 식탁으로 왔다.
다행이었지만 원인 없이 아픈 데다 약간의 구토 증세까지 있어서 불안했다.
두 시간쯤 그들 가족과 즐겁게 얘기를 나눈 후 우리는 일어섰다. '이싸'
아버지는 차 문을 열고 한국에 돌아가더라도 요르단에 올 일이 있으면 꼭
와 달라며 내 손을 잡았다.

우려는 현실이 됐다. 막 잠들려는데 아내가 또 배가 아프다고 했다.
외국에서 가장 난처한 일은 몸이 아플 때다. 휴일 밤 12시에 병원에 갈 수
없어 아침까지 견뎌 보자며 아내를 달랜 후 나는 잠들었다. 잠결에 신음
소리가 나서 아침인가 하고 시계를 보니 새벽 3시였다. 타이레놀과 차를
먹였으나 통증이 점점 심하다며 배를 움켜잡고 뒹굴었다. 아침까지 기다릴
수 없는 상태 같아 우리는 부랴부랴 옷을 갈아입었다.

집에 남은 400디나르(60만 원)와 여권을 가지고 나왔다. 새벽에 어느 병원에 어떻게 가야 할지 막막했다. 아내는 현관 앞에 누워 버렸다. 신음 소리에 이웃이 깰까 두려웠다. 아내를 딸한테 맡겨 두고 택시를 잡으려고 길가에 섰다. 이런 새벽에는 택시가 골목길까지 들어오지 않는다. 응급을 다투는 병일지도 모른다는 생각에 큰길로 뛰어간 나는 택시를 잡아서 집 앞으로 데리고 올 셈으로 어두운 길 위에 서 있었다.

지나다니는 택시가 없었다. 119 시스템이 요르단에 있는지도 모르겠고 주택지역이라 정확한 위치를 전화로 말할 수도 없었다. 숨이 넘어갈 듯 아파하는 아내를 생각하면 자가용이라도 잡아야 했다. 이른 새벽에 손을 들고 서 있는 외국 남자 앞에 택시는 서지 않았다. 가끔은 빈 택시가 있었지만 무슨 이유인지 지나쳤다. 아내가 위급한 상태라 길가에서 마냥 택시를 기다릴 수 없었다. 나는 도로 안쪽으로 들어가 양팔을 벌렸다. 택시 한 대가 급정거했고, 운전사가 소리쳤다.

"아휴! 당신 미쳤어요?"

"아내가 아픕니다. 급해요!"

어디로 갈 거냐는 물음에 집에 있는 아픈 아내를 태운 뒤 '아랍 메디컬 센터'로 가자고 말했다. 그는 구세주였다. 앰뷸런스처럼 달려 10분 만에 '아랍 메디컬 센터' 응급실에 도착했다. 고맙고, 고마운 택시 운전사에게 택시비를 두 배로 주고 인사도 못한 채 주저앉는 아내부터 끌어 응급실 침대에 눕혔다. 아내의 비명은 계속됐지만 나는 병원이라 마음이 놓였다. 죽기 살기로 병원에 도착하니 이제는 아내의 아픔보다 병원비가 걱정됐다.

담당 의사가 병원에 오기 전 발생한 일들에 대해 여러 가지를 물어본 후 초음파를 찍어 봐야 원인을 알 수 있다고 말한다. 의사는 친절했다. 다행히 의학을 공부하는 딸이 옆에 있어 의사에게 증상을 자세히 말해 줄 수 있었다. 통증이 워낙 심해서 우선 진통제를 맞고 30분을 기다려 초음파 검사를 해 보니 '요로결석'이라는 진단이 나왔다. 요로계에 생긴 돌이 소변 흐름을 막아 격심한 통증을 일으키는 질환이다.

레이저로 돌을 부수는 수술을 받고 하루 더 기다렸다가 경과가 좋으면 퇴원할 수 있다고 했다. 요로결석이 참을 수 없을 만큼 아프다는 것을 처음 알았다.

오후 1시 전문의가 와서 수술을 시작했다. 나와 딸은 수술실 밖에서 초조히 기다렸다. 이국땅에서 처음 받는 수술이다. 레이저로 돌을 깨는 소리가 복도까지 들려왔다.

타닥타닥! 타닥타닥!

나는 생각했다.

'어떻게 이런 일이 일어났을까?'

아내에게 생긴 병은 평생 한 번 있을까 말까 하는 병이다.

'왜 하필 요르단까지 와서?'

'혹시 아내는 내게 시위하러 온 게 아닐까?'

돌 깨는 소리는 마치 죽비로 나를 '타닥타닥!' 때리는 소리 같았다.

가족이 한창 힘들 때 나는 해외봉사를 한답시고 요르단으로 와 버렸다.

딸이 의학 대학원을 다니고 있었기에 경제적으로 가장 어려울 때였다.
내가 남겨 놓은 연금이 부족했을 텐데 무슨 돈으로 학교를 다니고 있는지
나는 몰랐고 알고 싶지도 않았다. 나는 퇴직했기에 경제력도 없었던 데다
지친 서울 생활을 떠나 새로운 일을 하고 싶었다. 초저녁잠이 많은 아내는
학교에서 밤늦게까지 공부하는 딸을 매일 데리러 다녔다. 그즈음 나는
가족과 금을 긋고 봉사활동에만 매달렸다.

아내의 수술은 계속됐다.
수술실에서 들려오는 돌 깨는 소리는 내가 몰랐던 아픈 '아내의 시간'을
일깨우며 마음을 치고 지나갔다.

16

고장난
시계탑

막상 시작하면 골치 아픈 것이 공부다.

그래도 요르단대학교에 가면 공부하고 싶은 마음이 생긴다. 요르단대학교는
국립대학이며 요르단 최고 대학이다. 숲이 울창하고, 풋풋한 젊음이 있는
곳이다. 봉사단원 생활을 하면서 가장 많이 간 곳이기도 하다. 일주일에
한두 번은 갔던 것 같다. 대학 뒤뜰에서 사물놀이와 난타 연습을 한 데다
이 학교 한국어 교수인 '무나(한국어교육 단원)'가 특강을 부탁해서
자주 갔었다.

대학 정문을 들어서면, 캠퍼스로 향하는 메인 도로가 쭉 이어진다.

교문을 나서는 학생들을 스쳐 도로 끝까지 가다 보면 높은 시계탑에 도착한다. 그곳은 학생들이 약속 장소로 이용할 만큼 학교의 명소다. 시계탑 아래에는 학생들이 늘 많다. 나도 학교에 갈 때마다 시계탑 아래에 앉아서 지나다니는 학생들을 바라보곤 했다.

그곳에는 이해가 안 되는 것이 하나 있다.

시계탑 시간이 늘 틀리게 돌고 있었다. 숫제 시곗바늘 없이 시계 판만 있는 게 나을 듯하다. '고장난 시계는 더 이상 시계가 아니다'라는 생각을 누군가 했으면 고쳤을 텐데 2년이 지났는데도 그대로다. 신문이나 페이스북에 올라온 요르단대학 기사는 항상 시계탑 사진으로 시작한다. 그만큼 시계탑은 요르단대학교를 상징하는 곳이다.

'왜 고치지 않을까?'

물론 모스크에서 하루 5번 울리는 '아잔(기도시간을 알림)' 소리로 시간을 짐작하다 보니 시간 개념이 없는 민족이기는 하다. 하지만 나는 다른 관점에서 그 이유를 말하고 싶다.

요르단대학 상징인 시계탑이 고장난 것처럼 요르단 사회구조가 망가진 것이라고 주장하고 싶다.

나는 요르단대학교 한국어과 학생들과 자주 만난다. 이들은 한국 대학생들과는 너무 달랐다. 학교에서 공부하는 학생들이 없었다. 수업이 끝나면 얼른 집에 가기 바쁘다.

'왜 공부를 안 할까?'

나는 이런 문제를 가지고 학생들과 여러 번 대화를 했었다.

이들은 하나같이 말한다.

"열심히 공부한다고 좋은 회사에 취업하는 것은 아니에요!"

실제로 택시를 타면 가끔 운전사의 불평을 들어야 한다.

"요르단대학 출신인데 운전으로 먹고 삽니다."

여학생의 경우는 더 심각하다.

"여자는 졸업해도 갈 곳이 없어요."

외국인을 대상으로 하는 기업은 히잡을 쓴 여성을 뽑지 않는다.

짧은 치마를 입어야 하는 근무 복장 때문이다. 취업 문제는 어느 나라든

있겠으나 요르단은 심각하다. 학생들이 공부를 열심히 해서 해결될

문제가 아니었다.

가끔씩 나이 많은 베두인과 그 아들 되는 청년이 내가 근무하는 사무실에

온다. 그들은 문화부 부장관을 만나러 온 것이다. 나는 비서에게 그들이 온

이유를 물어봤다.

"취업 청탁하러 왔을걸?"

요르단은 한국 공무원 시험 같은 제도가 없는 나라다.

시험 없이 공무원이 되는 나라가 요르단이다. 대학에서 열심히 공부해서

취업하는 것이 아니라 가문이 취업시켜 주는 문화다. 가문이 좋으면 공부를

안 해도 공무원이 된다. 문화부는 엘리트 기관인데도 영어로 의사소통할 수

있는 직원은 많지 않다. 바로 그 이유가 여기에 있다.

요르단은 가문을 중요시하는 풍습 탓에 취업 청탁을 거절할 수 없는 구조다. 취업 후 당사자가 일을 못해도 해고할 수 없다. 가문이 들고 일어나면 공공기관장이 곤란해지기 때문이다.

공정한 시험을 치르기도 어렵다. 요르단 여자들은 '히잡'과 '니캅(눈만 남기고 얼굴 전체를 가리는 천)' 등으로 무장하고 있는데, 감독관 입장에선 누가 누군지 알 방법이 없다. 문화부 친구한테 물어본 적이 있다.

"'니캅'을 쓴 여자들이 시험이나 면접을 볼 때 '니캅'을 벗어?"
"절대 벗지 않아. 그냥 눈만 보고 사람을 판단해야 해."

만일 한국처럼 한 달 수입의 50% 이상을 자녀 교육에 투자한다면 요르단 사람들은 모두 굶어 죽는다. 한 달 50만 원으로 4~5명의 자녀를 교육시킬 수 없기 때문이다. 엥겔지수가 높은 나라다. 이들은 교육과 문화생활에 돈을 쓰지 않는다. 엥겔지수가 높은 민족이 행복지수도 높다고 하는데 정말 요르단 사람들은 미래에 대한 걱정을 안 한다.

이들은 노후를 위해 은행에 돈을 저축하지 않는다. 은행도 이자를 주지도 않는다. 나는 생활비를 '요르단 뱅크' 계좌로 지급받고 있다. 1년 정도 쌓이면 금액이 꽤 되는데 한 번도 이자는 찍히지 않았다. 이들은 돈을 은행에 저축하기보다 대출받기를 좋아한다. 주로 집과 중고차를 살 때 은행 대출을 이용한다. 갚는 문제는 걱정도 안 한다. 요르단 사람들은 편안한 신념으로 뭉쳐진 민족 같다.

막무가내로 삶을 대하는 이들 논리가 부럽기도 하지만 걱정스럽기도 하다. 학생이 학교에서 공부하지 않는 사회는 미래가 어둡다. 문화와 교육 인프라가 없는 사회구조에 학생들을 내버려 두면 요르단은 미래가 없는 나라가 될 것이다. 요르단대학교가 고장난 시계탑을 방치하듯, 정부가 잘못된 사회구조를 고치지 않으면 후세들은 계속 빈곤하게 살아야 한다. 세상은 활짝 열려 있다. 요르단도 여성들을 사회에 가두어 두지 말고 세상으로 보내야 한다.

얼마 전 요르단 수도 암만에서 개최된 K-POP 페스티벌을 관람한 적이 있다. 히잡을 쓴 소녀들이 엑소(EXO) 피켓을 들고 열광하는 광경을 봤다. 한국 음악을 뜻도 모르면서 외워서 따라 부른다. 아랍 음계가 바탕이 되는 아랍대중 음악에 청소년들은 이미 흥미를 잃고 있다는 증거다. 심장을 뛰게 하는 멋진 리듬에 빠져드는 소녀들에게 히잡이라는 굴레를 씌워 집 안에 붙잡아 둘 수는 없다.

이슬람은 '절대 순종한다'는 뜻이다. 하지만 내가 만난 요르단 여성들은 순종 아닌 자유로움을 꿈꾸는 사람들이었다. 먹고 사는 일. 가족과 함께 바다에 가는 것. 스마트폰으로 친구에게 전화하며 바깥세상 이야기를 나누는 사람들이다.

우리와 똑같은 생각을 하며 사는.
그런 하루를 갈망하는.

17

갈 수 없는
마을

영화는 이야기다. 앞으로 내 이야기가 될 수 있고, 내 아버지 이야기일 수

있으며, 한 번도 만나 보지 못한 사람들 이야기일 수도 있다. 영화는 나와

다른 사람들 이야기로 모두를 감동하게 한다. 어릴 적 나는 동네 어귀에

있는 학교에서 처음 영화를 봤다. 그때 본 활동사진을 아직도 잊을 수 없다.

영화 속 주인공은 나를 비롯한 동네 친구들에게 정의와 불의를 알게 했고,

선과 악을 구분하게 해 줬다. 어린 시절, 사람은 모름지기 정의로운 삶을

살아야 한다는 것쯤은 영화를 통해서 배울 수 있었다.

이것이 영화 이야기다. 영화가 사실일 수 있고 허구일 수도 있으나

아이들에게 주는 영향력은 무엇보다 크고 힘차다.

짧은 시간에 아이들을 꿈꾸게 하고, 올바른 길로 이끄는 매체는 영화밖에
없을 것이다. 내가 어린 시절 정의로운 삶을 영화를 통해서 배웠듯 막
자라는 아이들에게 아름다운 세상을 보여 주기 위해 '시네마천국'을
기획했다.

'요르단'은 '네팔', '튀니지'와 함께 이번에 새롭게 선정된 '시네마천국' 협력활동
지역이다. 불행하게도 요르단은 지금 테러와 전쟁 중이다. 종교 이념주의와
테러 사이에서 무작위로 희생당하는 성장기 아동들이 지금도 난민 캠프에
방치되어 있다. 요르단 최고 관광지 '페트라'에도 학교로 돌아가지 못한 채
물건을 팔아 가족 생계를 잇는 아이들이 있다. '시네마천국' 팀은 이동
영화관 장비를 가지고 일상을 잃은 아이들을 찾아가 재미있는
세상 이야기를 들려주고자 한다.

내가 '시네마천국' 활동을 하기 위해 처음 쓴 기획서 서문이다.
본부의 승인을 받았다. 협력활동 지역에서 영화를 보여 주기 위해 가장 먼저
해야 할 일은 필요한 장비를 사는 것이었다. 성능 좋은 사운드 믹서와 무선
마이크, 수백 명이 볼 수 있는 야외용 스크린이 있어야 한다. 이 스크린에
빛을 쏘아 영상을 보여 주는 빔 프로젝트와 성능 좋은 스피커, 노트북,
카메라 등이 필요하다. 대부분 요르단에서 구매할 수 없는 것들이다.
나는 장비 목록을 뽑아 한국으로 보냈다.

코이카 본부는 장비를 일괄 구입해서 항공화물로 보내 줬다.

도착한 장비는 봉고차로 옮겨야 할 만큼 많았다. 대형 스크린 한 개 무게만
50kg이었다. 나는 모든 장비를 마당에 펼쳐 놓고 체크한 후 아파트 거실에
쌓아 두었다. 집은 야외용 영화 장비로 가득 찼다. 어수선했지만 요르단을
떠날 때까지 애지중지 사용해야 하는 내 살림살이였다.

이제는 이 장비를 펼치고 별 아래에서 영화를 보여 줄 행사 장소를 찾아야
한다. 장소가 정해지면 그 지역에 맞는 프로그램을 짜야 하고, 현지
봉사자들도 모집해야 한다. 또 아이들에게 가져갈 선물을 준비해야 한다.
처음 해 보는 활동이라 부담이 만만찮다.
'아이들이 얼마나 올까?'
'무슬림들이 깜깜한 밤에 아이를 밖으로 내보낼까?'
'내가 편집한 영화를 아이들이 좋아할까?'
나는 노심초사했으나 화살은 이미 시위를 떠나 버렸다.
비싼 장비를 구매한 이상 어떻게든 진행해야 했다.

나는 활동 장소에 시네마천국 운명을 걸었다.
그만큼 행사 지역은 중요하다. 코이카 사무소는 단원들 안전이 보장받지
못하면 어느 지역이라도 허락해 주지 않는다. 안전한 도시에서 행사를 하면
나도 편하지만 시네마천국이라는 기본 취지에 맞지 않았다. 그 문제로
사무소와 갈등도 있었다. 활동 리더로서 좋은 곳에서 멋있게 해 보이고

싶은 내 욕심을 굽힐 수 없었기 때문이다.

안전 문제를 보장받기 위해서 친분이 있는 사람들 소개로 베두인 마을에 들어갔다. 아랍어로 써 둔 신변 안전계약서를 마을 대표에게 내밀고 아동 동원과 주민 협조까지 받아 냈다. 나는 그저 순박하기만 한 원주민한테 말했다.

"당신 사인이 없으면 이 마을에서 영화 상영을 할 수 없어요."

활동 장소 선택은 어렵고 위험했다. 마땅한 장소를 찾기 위해 오지를 일일이 돌아다녀야 한다. 힘든 만큼 짜릿한 흥분도 있었다. 새로운 곳, 새로운 사람을 만나는 즐거움은 대단했다. 한 달간 요르단 남쪽을 쏘다닐 때는 마치 여행을 떠나는 기분이었다. 생각해 보면 처음 본 '페트라'의 웅장함보다 황량한 들판에서 만난 베두인들이 더 기억에 남는다.

요르단 남쪽 '마안' 지역에 갔을 때다.

차창 밖은 온통 사막뿐이었다. 가난한 나라에서 더 가난한 사람들이 모여 사는 땅이었다. 거친 들판을 한참 지나니 옹기종기 모여 있는 집들이 보였다. 모든 집들이 언덕 위에서 햇볕에 그을리고 있었다. 그곳은 '페이샬린'이라는 마을이었다. 이 마을 센터 기관장 '카올라'는 기대에 못 미치는 베두인 여자였다. 기관장이라기보다 남루한 유목민 모습이었다. 그녀는 나를 끝끝내 괴롭혔다. 내가 요르단을 떠나는 마지막 날까지.

처음 그녀가 안내하는 센터를 보고는 맥이 탁 풀렸다.

가정집을 개조한 것처럼 작고 초라했다. 마을이라야 집이 고작
10여 채밖에 안 되는 곳이었다.

'아니 여기서 어떻게 행사를 해? 아이들이 고작 20명도 안 될 텐데?'
나는 그녀에게 아이들을 많이 모을 수 있는 방법을 물어봤다. 흩어져 사는
베두인 마을 가정을 돌아다니며 차로 데려와야 한단다. 그럼 영화가 끝난
늦은 밤에 다시 데려다줘야 한다. 고민이 되었다.
나는 처음 시작하는 행사를 크게 하고 싶은 마음뿐이었다.
카울라는 시네마천국 행사를 마을 아이들에게 보여 주기 위해 답사를 온
우리에게 정성을 다했다. 운전을 못 하는 그녀는 남동생의 도움으로
어린 아들과 함께 우리를 태우고 지역 명소를 돌고 돌았다.
차가 우리 숙소에 도착했을 때는 어둠이 깔렸다.

미안하고 고마워서 그들을 그냥 보낼 수 없었다. 나는 그녀 아들을 끌고
제과점으로 갔다. 아들을 태운 차가 '마안'으로 돌아갈 때 눈물이 핑
돌았다. 그녀는 시네마천국을 유치해서 한 번도 영화를 못 본 베두인 마을
아이들에게 영화를 보여 주려는 일념뿐이었다. 나는 차가 보이지 않을
때까지 길 위에 선 채 오늘 답사를 후회하고 있었다.

'그곳으로 갈 수 있을까?'

3년 동안 시네마천국은 요르단 구석구석을 돌며 열아홉 번의 행사를
진행했다. 사해 남쪽 끝 마을 '고르샤피'에서 요르단 북쪽 국경마을

'조우페'까지 올라갔다. 장소를 선택할 때마다 행사하러 오겠다고
카올라한테 한 '약속'이 마음에 턱턱 걸렸다. 행사 장소를 옮길 때마다 나를
괴롭혔다. '다음에는 가야지' 생각은 하면서도 못 갔다. 그녀는 내게 아픈
상처로 남았다.

'한 번은 그곳으로 가야 한다.'
'그곳 아이들보다 그녀 때문에 꼭 가야 한다.'
'6개월 후면 요르단을 떠나야 하는데.'

단지 생각만 했을 뿐 나는 결국 가지 않았다. 행사 규모를 크게 하려는
내 욕심 때문이었다. 봉사활동 막바지에는 시네마천국이 요르단 언론에
자주 소개되곤 했다. 300~400명 아이들을 모아 놓고 행사를 거창하게
해야만 취재팀에 보여 줄 그림이 된다. 그때마다 내 욕망이 이루어져
마음이 뿌듯했다.

3년이 다 되도록.
나는 그 욕망을 떨쳐내기는커녕 더 큰 것을 갈망하고 있었다.

18

돌아가고 싶지
않았다

'대체! 누가 이런 짓을.'

'무엇 때문에.'

'서류를 내놓지 않는 그 이유만 말해 줘도 나는 여기서 끝낼 건데.'

출근해서 하루 종일 한 일이라고는 문화부 장관이 사인한 '연장 신청서'를
찾는 것뿐이었다. 실무 부서를 찾아가서 담당자와 함께 서류 파일을 다
뒤지고, 다시 장관 비서한테 가서 그것이 어디에 있냐고 물었다. 그는
부장관이 가지고 있을 거라는 말을 했다. 부장관 비서에게 내 서류를 찾아
달라고 했다. 그가 부장관실로 들어갔다. "결재 중이니 기다려!"라는

부장관 말만 전한다. 오후 3시까지 기다렸다. 3시가 퇴근시간이다. 연장
신청서는 아직 내게 오지 않았다. 부장관 퇴근 후 비서와 함께 부장관
방으로 들어가 책상을 몽땅 뒤졌으나 없었다.

코이카 단원 임기는 2년이다. 그러나 1년을 한 번 더 연장할 수 있다.
연장을 하려면 먼저 단원이 근무하는 기관장 사인이 있어야 한다. 내게는
문화부 장관 사인이 꼭 필요했다. 문화부 서류는 부장관이 먼저 사인하고
장관이 마지막으로 결재하는 형식이다. 나는 2주 전에 연장신청서를
문화부에 제출했다. 그런데 예상치 못한 일이 생겼다. 내 서류가 갑자기
사라진 것이다. 장관 사인을 받지 못하면 2개월 후 한국으로 돌아가야 한다.

나는 돌아갈 수 없다.
요르단에서 끝내지 못한 일들이 수두룩하다. 당연히 업무가 연장될 것이라
생각하고 일을 미리 계획해 두었기 때문이다. 사전 답사해서 봉사활동을
하러 가겠다고 약속한 데가 두 곳이다. 그 동네 아이들에게 가져갈
프로그램을 시네마천국 팀원들과 짜고 있는 중이었다. 그리고 이보다 더
슬픈 이유가 있다. 한국으로 돌아가면 나는 실업자가 된다. 그만큼 코이카는
내게 직업과 봉사를 동시에 해결해 줬다.

'내가 문화부에서 뭘 잘못했기에 사인 받기가 이렇게 힘드나?'
나로서는 이해가 되지 않았다. 직원들과도 잘 지내고 가난한 아이들을 위해
많은 활동도 했다. 나는 봉사단원이라 이곳에서 보수 없이 일을 하고 있다.

분명 문화부에 도움되는 일을 하고 있다고 자부했기 때문에 실망이 더 컸다.

'연장 신청서는 지금 어디에 있을까?'

누구는 장관이 사인했다고 말하고 또 누구는 부장관이 장관한테 서류를
안 넘기고 가지고 있을 거라고도 했다. 내 연장근무에 대해 문화부
직원들이 더 적극적이다. 범인은 '마문(부장관)'이 틀림없다고 직원들은 입을
모은다. 그가 나를 불러 문화부 근무를 연장해 줄 수 없는 이유를 말해
주면 포기할 텐데, 그런 얘기도 없다. 개인적으로 만나면 내게 친절하다.
알 수 없는 사람이다.
부장관이 내 연장근무를 싫어하는 이유는 단 하나다. 내가 그의 비서와
같이 근무하기 때문에 출입하는 사람들과 웃고 떠드는 경우가 많다.
우리는 부장관한테 조용하라는 지적을 두 번 받았다. 직접 찾아가서 앞으로
조용히 지내겠다고 말할 수도 없고, 참 답답한 노릇이었다.

하루가 너무 고달팠다. 퇴근 무렵 가장 친한 직원 두 명이 찾아와서
내게 조언했다.
"오늘 저녁 7시에 장관이 '암만' 지역 바자회에 참석할 거야. 당신이 와서
사진을 찍고 장관한테 모든 것을 말해 봐. 새로 온 장관은 좋은 사람이야."
고마운 친구들이다. 안 그래도 문화부를 떠날 때 코이카 봉사자가
요르단에서 하는 일을 장관한테 얘기하고 싶었다.
'오늘 모두 말해 보자!'

내 연장 서류가 없어졌다고 장관한테 고자질해서 일이 잘못되면 나는
돌아가야 한다. 갈 때 가더라도 장관한테 모든 사실을 밝히고 싶었다.
퇴근 후 곧바로 학원으로 간 나는 아랍어 과외선생 도움으로 장관한테
보내는 편지를 썼다.

"문화부 직원들이 당신을 좋아한다. 나도 그런 당신이 좋다. 나는 1년 더
문화부에서 근무하고 싶다. 문화부에서 더 일해야 하는 이유는 가난한
아이들 때문이다. 내가 떠나면 그들이 슬퍼할 것이다. 이제까지 9번의
협력활동을 통해 3000명의 요르단 아이들을 만났다. 나는 그들에게
영화를 보여 주는 봉사활동을 한다. 그들은 나를 무척 좋아해 줬다.
그런 아이들에게 나는 3만 디나르(4500만 원) 정도의 돈을 한국 정부로부터
받아서 썼다. 아이들에게 줄 선물을 밤새워 포장할 때 나는 가장
행복했었다. 1년만 더 요르단에서 아이들과 함께 있고 싶다.
당신 사인이 없으면 나는 10월에 요르단을 떠나야 한다."

바자회 행사장에서 처음 장관을 만났다. 열심히 앞뒤를 오가며 사진을
찍고 있을 때, 장관이 가끔씩 나를 봤다. 행사가 끝났을 때 무엇인가를
얘기하려고 옆을 서성이는 내게 장관이 먼저 손을 내밀었다.
역시 좋은 사람이었다. 얼른 장관 손을 잡고 나는 말했다.

"지금 제게 큰 문제가 있습니다."
"아, 그래요. 무슨 문제입니까?"

장관은 친절하게 반문했다. 과외 선생과 함께 쓴 편지를 내밀고 가시면서
읽어 보라고 말했다. 장관은 떠나면서 말을 남겼다. 주변에 많은 사람들이
있어 나는 그가 한 말을 못 들었다. 그런데 직원이 나를 부르더니 장관이
너보고 "내일 장관실로 오라"고 말했다고 했다. 아! 정말. 이제는 된 거다.
내일 면담 준비를 잘해서 사인을 받으면 된다.

밤늦게까지 시네마천국 활동횟수, 수혜 아동, 남은 활동 지역 등을
정리했다. 예정된 활동 지역은 내가 요르단에 남아야 하는 이유다.
준비를 단단히 하고 출근했다. 자료를 들고 장관 비서실장을
찾아가서 말했다.
"장관님이 오늘 오라고 해서 면담을 신청한다."
어라! 비서실장이 안 된다고 한다. "왜 안 돼?" 하며 따졌더니 장관님이
바쁘니 다음에 오라고 한다. '호쌈(비서실장)'은 기회주의자 같아 거리를
뒀더니 나와 관계가 서먹하다. 어느 부서나 이런 사람은 한 명씩 있었다.

다음 날도 '호쌈'은 면담을 시켜 주지 않고 이리저리 비틀었다. 다른 직원들이
그를 맹렬히 비난하는데도 막무가내였다. 아마 부장관 '마문'과 내 연장
서류에 대해 공모를 한 것 같았다. 무엇 때문에 부장관이 이렇게까지?

'낭패다. 내일이 연장 신청 마감인데?'
이젠 포기해야 했다. 포기하면 10월 초에 돌아가야 한다.
정말 한국으로 가고 싶지 않았다.

돌아가면 할 일도 없었다. 다시 해외봉사단원으로 오기도 쉽지 않지만, 죽어라 공부한 아랍어가 무지 아까웠다. 공부에 투자한 돈보다 머리를 쥐어뜯으며 고생한 보람이 없다. 이제야 아랍어가 조금 편안해졌는데. 이대로 포기할 수 없어 친한 직원한테 장관 휴대폰 번호를 알려 달라고 했다. 비서실장의 눈치를 봐야 하는 그가 '절대 비밀이야'라는 몸짓으로 입에 손가락을 대며 번호를 적어 줬다.

집에 와서 '마지막이다'는 심정으로 장관한테 문자를 보냈다.
"저는 코이카 봉사단원입니다. 장관님과 면담하려고
여러 번 신청했으나 비서실장 '호쌤'이 거부해서 못 뵙습니다.
'호쌤' 없이 장관님을 뵐 수 있을까요?"
될 대로 되라며 메시지 보내기 버튼을 꾹 눌렀다. 바로 답이 왔다.
"내일 10시에 비서실장을 거치지 말고 장관실로 오세요."
놀라운 일이다.
'문화부 장관이 비서실장 없이 나를 부르다니?'
면담을 위해 새벽까지 관련 아랍어를 정리해서 외웠다.
내일 모든 것이 끝난다.

'남느냐? 떠나느냐?'
장관과 마주앉아 가져간 노트북을 켰다. '시네마천국' 행사 중 아이들 반응이 가장 좋았던 영상 파일을 열었다. 시리아에서 전쟁을 피해 온 아이들이 청백 팀으로 나뉘어 우리 팀과 함께 달리기하며 뛰노는 영상이었다.

장관 표정이 진지해졌다. 내게 물었다.

"여기가 어느 지역입니까?"

"시리아 난민촌 '자타리' 캠프입니다."

"이것은 무슨 음악입니까?"

"한국 전통음악 '사물놀이'입니다."

"공연하는 이들은 누굽니까?"

"모두 코이카 봉사단원입니다."

이어서 앞으로 1년 동안 계획된 행사를 설명했다.

장관은 가만히 듣고만 있다가 원하는 것이 무엇이냐고 물었다.

"요르단 아이들과 좀 더 있고 싶습니다."

준비해 간 연장 신청서를 장관한테 내밀었다.

"내일 처리해 주겠습니다,"

장관은 말했다. 나는 공손히 부탁했다.

"오늘까지 코이카 사무소에 연장 신청서를 제출해야 합니다."

갑자기 급해진 비서실장은 곧바로 '마문' 부장관실로 내 서류를 들고
들어갔다. 끈질기게 방해하던 부장관이 그 자리에서 사인했다.
빨리 처리하라는 장관의 특별 지시였다. 연장 서류는 내부 등록
절차 없이 처리되어 30분 만에 내 앞으로 왔다.
한 달 동안 씨름했던 서류가 순식간에 해결됐다. 말할 수 없이 기뻤다.
기적처럼 살아났다. 이제 돌아가지 않아도 된다.

일자리가 1년 더 연장된 것이다.

온종일 내 심장은 기쁨으로 요동치고 있었다.

천당과 지옥을 오가며 버틴 결과 코이카 본부에서 1년 연장 최종 승인이
났다. 그리고 일주일 후 부장관 '마문'이 문화부에서 잘렸다는 소식을
비서가 알려 줬다. 내 연장근무 때문은 아니었겠지만 세상을 그렇게 살지
말라는 메시지 같았다.

그가 짐을 쌀 때 나는 부장관실로 들어가 그를 도와줬다. 나는 자애로운
미소를 띠며 그간 고마웠다는 말도 했다. 그의 책과 서류를 종이박스에
넣으며 나는 '흐흐흣!' 웃었다.

'당신보다 내가 더 오래 문화부에 있을 것이다.'

부장관 '마문'이 떠난 후 나는 가슴을 쓸어내렸다. 위태위태했던 9월이
지나가고 있었다. 내가 떠나야 했을지도 모르는 마지막 달이다. 필사적으로
나를 잡아 준 문화부 친구들이 고맙다. 내 연장을 숨죽여 기다려 줬던
시네마천국 팀원들을 나는 1년 더 사랑할 수 있게 됐다. 팀의 리더인 내가
떠나면 시네마천국 활동도 끝나는 것이다.

그들은 나의 연장 승인 소식에 환호했다.

"와우!! 축하축하."

"시네마천국 4분기 계획 들어갑니다!!!"

19

선물

한국 사람들보다 요르단 사람들이 선물 주기를 더 좋아한다.
나는 그들로부터 많은 선물을 받았다. 받은 선물이 내가 갖고 싶어 했던
것이면 더없이 기쁘나 늘 그런 것만은 아니었다. 선물은 물건만 되는 것이
아니라 물건 이외의 것도 선물이 될 수 있다. 나도 받은 만큼 선물을 한 것
같다. 문제는 내가 그들한테 받은 선물이 내게는 쓸모없는 것이고,
마음에 들지 않았다는 것이다.

길을 잘못 들어섰을 때 곧장 돌아서지 않으면 고생한다.
처음 '마무드' 집에서 호기를 부렸다. 요르단 문화를 체험하고픈 인식을

준 것이 화근이었다. 전통 음식 '만샤프' 때문이다. 앞서 얘기했듯이
만샤프는 요르단 사람들이 자랑하는 음식이며, 귀한 손님이 올 때 내놓는
음식이다. 문제는 전통에 따라 그 음식을 맨손으로 먹어야 '당신은 진정한
친구다'라고 생각한다는 것이다. 현지인과 친해지려고 나는 처음부터
맨손으로 먹었다. 그것이 그들에게 좋은 인상을 준 것 같다.

이렇게 시작된 맨손 식사가 돌아올 수 없는 '다리'를 건너게 했다. 식성이
좋다고 아무것이나 잘 먹는 것은 아니다. 나는 비위가 약하다. 아니, 비위가
좀 사나운 편이다. 4년 전 라오스 '방비엥(Vang Vieng)'에서 있었던 일이다.

운 나쁜 하루였다!
개구리만 아니었어도 나는 '씨학' 집에서 하루나 이틀 정도는 머물고 떠났을
것이다. 저녁 먹고 자고 가라는 권유를 마다하고 '씨학' 집에서 도망 나왔다.
무슨 문제가 생긴 듯 벌떡 일어나 배낭을 메는 내 모습을 보고 그들은 눈을
동그랗게 떴다. 나는 여러 나라를 옮겨 다니며 원주민과 함께 먹고 자는
생활을 좋아한다. 그래서 그때 스스로 현지인 집을 나온 것이
너무 아쉬웠다.

'씨학'은 우연히 현지에서 사귄 라오스 친구다. 그는 한 살 된 딸과 아내
'쓰드앙' 그리고 고양이 2마리와 함께 길가 외딴집에 살고 있었다. 야자수
잎을 엮어서 만든 그의 집에는 여행객들이 탄 오토바이와 툭툭이(오토바이
뒤에 좌석을 달아 놓은 교통수단)가 지나다니며 일으키는 먼지가 정통으로

들어왔다. 그 집에 있는 살림살이는 내 배낭 속 물건보다 적은 듯했다.
그들과 둘러앉아 밥과 파파야로 만든 나물무침을 집어 먹으며 나는 벽에
걸린 투망을 봤다. 씨학은 구석에 매달아 놓은 투망을 얼른 가져왔다.
식사를 끝낸 후 나와 그의 친구 '압낄라' 셋이서 들판을 가로질러 석회암
바위 밑을 흐르는 계곡으로 갔다.

큰 고기가 있을 거라는 기대와 달리 20㎝ 미만의 메기들만 물밑을 노닐었다.
두 시간이 지나자 물속에서 더 버티기가 힘들었는지 그들은 몸을 떨면서
물 밖으로 나왔다. 우리는 고기가 가득 든 소쿠리와 투망을 메고 들판을
되돌아 집으로 돌아왔다.

그의 아내는 대나무로 만든 소쿠리를 열고 잡아 온 고기를 확인한 후
저녁을 준비했다. 우리는 내가 사 온 맥주를 마시며 대화를 이어갔다.
씨학은 아내가 소쿠리에 있는 고기를 요리해서 저녁을 차려올 테니
같이 먹고, 여기서 자고 가라고 손짓을 섞어 말했다.
"그래, 나도 여기서 자고 가고 싶어!"
나는 고개를 끄덕이며 손가락으로 동그라미 표시를 해서 숙박비를
주겠다는 뜻을 내비쳤다. 기분이 좋아진 씨학은 맥주를 단숨에 들이켜며
잔을 나한테 내밀었다. 나는 친구 가족과 함께 보내는 밤이 기대됐다.
잔을 비우고 우리가 잡은 고기가 어떤 종류인가 궁금해 소쿠리를 열었다.
소쿠리 안에는 메기와 민물 게가 있었다. 순간 흠칫했다. 그 사이에서 검고
큰 개구리 몇 마리가 꿈틀거렸다.

'안 돼!'
'개구리는 먹을 수 없어!'

씨학은 손님인 내게 맛있는 음식을 대접하려고 했다. 그런데 나는 그 선물이
징그러워 집을 뛰쳐나온 것이다. 문화가 다른 지역에서 받는 이런 선물은
주고받는 모두를 당황케 한다. 지금 내가 사는 요르단에서도 정성이 가득한
선물을 심하게 거부한 적이 있다.

홈스테이 했던 집 주인 '마무드'는 무슨 일이 있을 때마다 내게 전화했다.
코이카 신규 단원이 그의 집에 첫 숙박할 때나, 친척 모임이 있을 때 나를
불렀다. 현지인과의 만남을 유독 좋아하는 나는 불러 줄 때마다 달려갔다.
하지만 어느 순간부터 마무드가 전화를 해도 바쁘다는 핑계로 가지 않았다.
그것 역시 그가 나한테 주는 선물 때문이었다.

개구리 요리에 도망쳤듯이, 소스에 젖은 밥을 손가락으로 버무려
집어 먹는 것 또한 고역이었다. 초대받고 안 먹을 수도 없다.
큰 쟁반 위에 10인분쯤 되는 음식을 가득 채워 가져온다. 증기로 찐
쌀밥 위에 양고기가 수북하다. 우선 남자들이 먼저 먹는다. 소매를 걷고
손을 씻는 둥 마는 둥 하고서는 소스를 밥 위에 뿌린다.
'개인 그릇에 담아서 각자 먹으면 좋을 텐데.'
그냥 먹는다. 수프에 젖은 밥을 손으로 집어 먹는 모습을 지켜보는 것도
비위 상하는데 함께 먹어야 한다. 그렇다고 그들이 손대지 않은 쪽 밥만

골라 집어 먹을 수도 없고, 양고기만 들고 뜯을 수도 없다. 양고기와 밥을
적당한 비율로 남겨 둬야 여자들이 나중에 먹을 수 있기 때문이다.
참아서 되는 일이 아니다. 상한 비위를 달래며 그들과 함께 맨손으로
만샤프를 먹는 일은 참으로 고통이었다. 아무리 맛있는 음식이라도 한 번
비위가 뒤틀리면 그 음식을 피하게 된다. 현지 문화체험이고 뭐고
어느 순간부터는 마무드가 밥 먹으러 오라고 해도 나는 가지 않았다.

그들은 내게 요르단에서 가장 맛있는 전통 음식을 선물했다. 나는 그
선물이 마음에 들지 않았다. 싫다며 안 받을 수도 없는 노릇이다. 심지어
그들이 주는 선물을 받지 않으려고 도망치기까지 했다. 그들만큼 나도
현지인에게 선물을 줬다. 현지인을 내 집에 몇 번 초대한 것이다.

'마나르'는 발카(Balqa)대학 건축학과 2학년이다. 요르단대학교에서
시네마천국 팀이 사물놀이 공연을 할 때 만났다. 그녀는 친구를 만나러
왔다가 사물놀이 공연을 본 후 복장이 신기해서인지 나와 사진을 찍고 싶어
했다. 그래서 시작된 인연이 2년 정도 지속됐다. 그녀는 한국 드라마를 보는
것과 겨울에 비를 흠뻑 맞고 걷는 것을 좋아하는 대학생이다. 나는 그녀가
다니는 학교에 한 번 갔었고, 그녀 또한 동생과 함께 내 집에 왔었다.

한국 문화를 몹시 궁금해하는 손님에게 나는 최선을 다했다. 내가 아껴
놓은 한국 음식을 모두 꺼냈다. 전통 음식인 김치와 비빔밥, 라면, 국수 등을
대접했다. 특히 라면은 두 끼 식사를 해결해 줄 만큼 요르단에서는 귀한

음식이다. 국물을 놔뒀다가 다음 식사 때 밥을 말아 먹으면 훌륭한 한 끼가
되기 때문이다. 그래서 아끼고 아끼는 음식이다.

내가 맛있어 하는 음식이기 때문에 당연히 요르단 사람들도 좋아할
것이라고 생각했다. 나는 한국음식을 자신 있게 차려 놓았다. 그들이 맛있게
먹을 것이라는 확신을 갖고 그들은 사용할 줄도 모르는 젓가락을
손에 쥐어 줬다.

칭찬 일색이다.
"한국 음식 정말 정말 맛있어요!"
감탄을 하면서도 그들은 아까운 음식을 많이 남겼다.

혹시.
그들도 내 선물을 받고, 나와 같은 생각을 하지 않았을까?

가슴을 찌른다.

20

욕망을
자제하는 시간

이제 한 달을 굶어야 한다.

밤낮을 굶는 것은 아니다. 낮에만 음식을 못 먹는 것이다. 나는 단식이나
금식을 해본 적이 없다. 단식은 스스로 시작과 끝을 정해서 안 먹는 것이고,
금식은 강제로 일절 음식을 못 먹게 하는 행위다. 정치꾼들이 시위하는
행동이 단식이라면, 라마단 기간에 음식을 못 먹는 것은 금식이다.
단식이나 금식은 의지만으로 할 수 없다. 몸이 버텨 줘야 가능한 일들이다.
나는 몸을 혹사시키면서 그 어느 것도 하고 싶지 않다. 그런데 오늘부터
직원들과 둘러앉아 즐겨 먹던 과일과 요거트 등을 먹을 수 없다.

심지어 물조차도 못 먹는다. 라마단이 시작됐기 때문이다.

라마단(Ramadan)은 아랍어로 '더운 달'을 뜻한다.
이슬람 창시자인 무함마드가 알라로부터 코란의 계시를 받은 것을 기리는
날이다. 9번째 달의 시작을 알리는 초승달이 나타난 다음날부터 금식을
시작한다. 이슬람교도의 전통적인 행사다. 일출에서 일몰까지 의무적으로
한 달간 금식하고 날마다 5번 기도를 한다.
이 기간에는 해가 떠 있는 동안 음식뿐만 아니라 물, 담배, 성관계도
금지된다. 어린아이들은 음식을 먹어도 된다. 물론 병자와 임신부 등도
면제되지만 나중에 따로 금식해야 한다. 나는 무슬림이 아니기 때문에
물은 가지고 다니면서 몰래 먹어도 되지 않을까 많이 고민했었다.

라마단은 해마다 열흘씩 빨라진다. 라마단이 시작되면 관공서와 기업들이
하루 4시간밖에 근무하지 않는다. 출근 시간이 평소보다 3시간 늦춰지기
때문에 근무시간이 단축된다. 이거 하나는 좋은 일이다. 그래서 정확한
라마단 시작 날짜를 알고 싶은데 누구도 말해 주지 않는다.
모두 전날 밤 TV를 보고 라마단이 시작됐다는 것을 알고 출근을 늦게 한다.
시작 날짜를 정확히 알 수 없는 이유는 종교 지도자가 초승달을 육안으로
관찰한 후 라마단 시작 날짜를 선언하기 때문이다. 크리스마스와 같은
라마단은 '이드 알피트르(Eid-al-Fitr)'라는 축제를 끝으로 막을 내린다.
요르단 생활에서 가장 두려웠던 것이 라마단을 견디는 일이었다.
첫 번째 라마단은 고통이었다. 세상에서 가장 불필요한 문화가

라마단이라고 비난했다.

'음식과 믿음이 무슨 상관이라고 사람의 몸을 망가뜨리나?'

나는 종교가 없기 때문에 이런 풍습은 나쁜 것이라고 비판하며 한 달을
버텼다. 두 번째 라마단 때는 요령이 생겼다. 문화부로 출근하기 전,
점심때까지 견딜 수 있을 만큼 밥을 먹고 집을 나섰다. '소가 되새김 하듯'
배에 가득한 음식을 소화하다 보면 퇴근 시간이 온다. 문화부 직원들은
나를 만날 때마다 라마단 기간을 잘 버틴다고 '엄지척'을 했다.

오늘은 나에게 세 번째 라마단이 시작되는 날이다.

이제 라마단은 1년 중 가장 기다리는 날이 됐다. 할 일도 없고 도시 전체가
적막강산이다. 사람들이 이 기간에는 나쁜 짓을 하지 않기 때문에 여성들이
새벽까지 거리를 쏘다닌다. 갑자기 세상이 순하고 편안해진 느낌이다.
사무실을 가득 채운 담배 연기를 피해 복도에 서 있을 일도 없다.
택시 운전사들의 요금 사기나 난폭 운전도 볼 수 없다.

'맥이 풀려 운전도 간신히 하는데 난폭은 무슨?'

이런 라마단도 올해가 마지막이다. 나는 코이카 봉사 3년 임기가 끝날 때가
되어 돌아가야 한다. 힘들게 적응해서 편안해진 라마단 시즌이
못내 아쉽기만 하다.

라마단 기간에 만나는 사람들은 모두 힘이 없다. 하기야 새벽 5시부터
굶었으니 그럴 만하다. 내가 커피와 과일 등으로 몸을 무장한 채 오전에
느지막이 출근하면, 그들은 이미 기진맥진이다.

"라마단 카림(좋은 라마단)!"이라고 내가 인사하면 간신히 "그래!" 하고
대답한다. 현지인들은 라마단 기간에 외국인이 금식하고 있다고 하면
덩달아 좋아한다. 문화부 친구들이 만날 때마다 인사처럼 묻는다.

"요즘 금식하고 있니?"
"응, 하고 있어."
"대~단해! 힘들지 않아?"
"뭐, 견딜 만해."

이들에게 금식하고 있는 중이라고 공갈치고 있는 이유가 있다. 라마단
기간에 길에서 물을 벌컥벌컥 마시는 외국인은 테러당할 수 있다는 뉴스를
본 적이 있기 때문이다. 알라 신앙을 무시한다며 보복하는 행위일 것이다.
무슬림이 아닌 외국인이 라마단 때 음식을 먹으면 이 사람들은 정말
싫어할까. 그들한테 물어봤다.

"라마단 기간에 금식 안 하는 외국인을 어떻게 생각해?"
"뭐 종교가 다르니 이해를 해야지."
"그럼 너와 친한 외국인이 음식을 먹어도 좋게 생각해?"
"이해는 하지만 그는 진정한 내 친구가 아니야."
이러니 내가 뭘 먹을 수 있나! 힘들어도 진정한 친구인 척해야 한다. 집을
나오면 아무것도 먹지 않았다. 외출할 때는 물병도 집에 두고 나왔다. 혹여
물병이 있으면 화장실에서 몰래 마시지 않을까 하는 의심을 받을지 몰라서.

모두 힘이 없는데 나 혼자 쌩쌩해도 의심을 받는다. 같이 기력이 없는 체해야 한다. 졸고 있거나 책상에 엎드려 있는 직원들을 보면 안쓰럽다. 아랍어가 조금 될 때라서 늘 만나는 친구를 붙잡고 물었다.

"아~침은 언제 먹었니?
"해뜨기 전에 조금 먹었지."
"아니 왜 조금 먹어? 많이 먹어 둬야지!"
"많이 먹으면 위가 길들어져서 해질 때까지 더 힘들어."
"해진 후에 밤에는 뭐하는 거야?"
"그냥 푸지게 먹고 마시는 거지!"

나는 라마단 기간에는 음식점이 망할 줄 알았는데 음식 소비량이 오히려 1.5배 증가한다고 해서 놀랐다. 백화점 등 유통업계도 라마단 기간에 호황을 누린다고 한다. 억제된 욕구가 더 많은 구매욕을 부르기 때문인가 보다. 나는 계속 물었다. 나를 볼 때마다 3년간 금식하는 외국인은 처음 봤다고 칭찬을 많이 하는 친구다.

"담배와 커피는 어떻게 참는 거야?"
"그게 제일 힘들어. 하지만 견뎌야 하는 일인데 뭐."
"아휴! 물만 먹게 해 줘도 좋을 텐데⋯⋯?"
내가 안타까운 표정으로 말하자. 그는 내 말을 끊었다.
"'라마단'은 욕망을 자제하는 시간이야."

21
미투

"'더 스페셜티(The Specialty)' 병원에 가지 말라."

특정 병원 출입을 금하는 단원 통신문은 처음이다. 못 가게 하는 이유는
빠져 있었다. 그게 궁금증을 더 키웠다. 요르단은 의료보험 가입이 의무화가
아니라서 대부분 사람들이 보험 혜택 없이 산다. 그래서 다들 병원에 잘
안 간다. 코이카 단원들은 영수증 처리가 100% 되기 때문에 몸이 아프면
언제든지 병원에 갈 수 있다. 나도 피부 트러블이 생겨 두 번 갔었다.
지정된 병원이 없기 때문에 집에서 가까운 병원 아무 데나 가면 된다.
코이카 사무소에서 특정 병원에 못 가게 하는 것은 분명 이유가 있을

것이다. 그 병원에서 의료사고가 있었으면 자세한 내용을 밝혔을 텐데 그마저 없다. '무슨 일일까?' 궁금해하고 있는데, 친하게 지내는 여성 단원한테 전화가 왔다. 협력활동 관련 문의였다. 말끝에 혹시나 해서 단원 통신문 내용을 그녀에게 물어봤다.

"사무소에서 '스페셜티' 병원에 못 가게 했는데, 뭔 일인지 아니?"
"그거요. 범인은 …… 음, 바로 접니다. 하하."
"아니…… 왜? 무슨 일로?"
그녀는 나와 이런저런 얘기를 하는 사이다.
"그 병원 의사 때문이에요."

요르단 남자들에게는 여성 결핍이 있다. 이슬람교는 남녀 사이에 분명한 선이 있는 종교다. 모스크, 결혼식장, 장례식장 등에는 모두 남녀가 구분된다. 심지어 버스에 빈자리가 있어도 여자가 옆에 있으면 남자는 앉지 못한다. 그러니 여자와 스킨십은 언감생심(焉敢生心)이다.
내가 처음 요르단에 와서 히잡을 쓴 현지 여성을 소개받을 때, 가장 고민되는 것이 있었다. 이 여성과 '악수를 해야 하나? 말아야 하나?'였다. 내가 먼저 악수를 청해도 상대 여성이 원치 않으면 가슴에 손을 얹는 몸짓을 한다. 그때는 왠지 죄지은 기분이다. 나는 미리 판단할 수 없어 처음 소개받을 때 여성이 먼저 손을 내밀면, 그제야 악수한다.
히잡을 쓴 여성도 50%는 남자와 악수를 하기 때문에 헷갈린다.
요르단에 와서 처음 버스를 탔을 때 특이한 광경을 봤다.

만원 버스인데 서 있는 사람은 남자뿐이었다. 5분 후에 그 이유를 알았다. 여성이 버스에 오르면, 남자는 얼른 자리에서 일어나 좌석을 양보한다. 그 옆자리 남자도 여자와 함께 앉을 수 없기 때문에 덩달아 일어난다. 여성이 버스 안에서 서 있는 경우는 없다. 그것을 보고 나는 무슬림은 여성을 존중해 준다고 생각했었다. 좀 더 알게 된 후 내 생각이 틀렸다는 것을 깨달았다. 무슬림 남자는 네 명의 부인을 둘 수 있다는 것이 법으로 정해져 있다. 이건 여성 비하이며 엄청난 성차별이다. 돈이 많은 사람들은 부인을 여러 명 두지만, 가난한 총각은 결혼조차 못한다. 그깟 버스 좌석 양보해 주는 것에 감동받아 요르단 남자와 결혼하면 눈물로 살아야 할 것이다.

문화부에 과연 네 명의 부인을 둔 남자가 있을까? 친구한테 물어봤다. 그는 자신 없는 대꾸를 한다.

"부인이 두 명인 남자는 있으나 그 이상은 없을 거야."

그만큼 부인이 많다는 것을 동료들에게 자랑하지는 않는다. 나는 장난삼아 물었다.

"너는 부인이 몇 명인데?"

"나야 당연히 한 명뿐이지. 내가 무슨 돈이 있다고."

첫째 부인에게 자동차를 사 주면 둘째 부인도 사 줘야 하는 것이 불문율이다. 모든 것을 공평하게 해야 하기 때문에 부자가 아니면 젊은 여인을 새로 얻기 어렵다. 친한 현지인 친구는 나보고 이슬람교로 개종하라고 한다. 네 명의 부인을 둘 수 있다고. 농담을 농담으로 되받는다.

"한 명도 버거워!"

요르단에도 심심찮게 성추행 사건이 발생한다. 요르단 남자들은 타국 여성들에 대한 잘못된 성 인식을 가지고 있는 듯하다. 여성단원들이 1~2년 정도 봉사활동을 하다 보면 한두 번은 성추행을 경험하게 된다. 버스 안에서나 쇼핑몰에서. 일련의 사건들 때문에 여성단원이 힘들어 한다. 심지어 중도 귀국하는 경우도 생긴다. 그만큼 성추행 사건은 당사자에게는 충격적이다. 더욱이 동료끼리도 공유할 수 없기 때문에 남자단원은 짐작만 하고 모른 체할 뿐이다.

'스페셜티' 병원에서 일어난 성추행 사건도 본인이 창피해서 말하지 않았으면 묻힐 뻔한 사건이었다. 용기 있는 그녀의 행동은 'Me Too'로 이어졌다. 여성단원들이 혼자 끙끙 앓던 성추행 사건을 코이카 사무소에 알리기 시작했다. 사무소는 바로 현지 직원을 현장으로 보내 대처했다. 당사자한테 시선이 집중되는 '미투'는 정말 어려운 결정이다. '내가 당했으나 너는 조심해야 한다'는 자기희생이 있어야 가능한 일이다.

그녀는 음식을 잘못 먹었는지 극심한 복통이 와서 가까운 병원 응급실에 갔다. 담당 의사는 그녀를 침대에 눕혔다. 검진을 다 한 후 간호사가 밖으로 나간 사이 한 번 더 하겠다고 했다. 의사의 태도가 의심스러웠지만 복통 때문에 그녀는 눈을 감고 누워 있었다. 의사는 청진기로 가슴을 체크하는 체하면서 속옷을 벗기고 노골적으로 가슴을 만졌다.

진료 후 그녀는 의사의 이상한 행동을 병원 관리자한테 따졌다.

"이건 분명 성추행이다."

의사는 당황하며 진료의 일환이라고 시치미를 뗐다. 간호사를 내보내고
다시 진료한 것은 불순한 의도인데 의사는 끝까지 아니라고 했다. 그녀는
코이카 사무소에 보고했다. 사무소는 병원 쪽에 정식으로 항의했다. 병원은
이미지 추락이 두려워 계속 의사의 입장을 고수했다. 그날 이후 단원들은
'더 스페셜티' 병원에 가지 않았다.

그녀는 또 한 건의 사건을 내게 말해 줬다. 한적한 골목길을 걷는데 갑자기
누가 뒤에서 몸을 만지고 도망쳤단다. 졸지에 당한 일이라 땅에 주저앉아
도와 달라고 소리쳤다. 목소리가 나오지 않았다. 결국 경찰에 신고했고,
CCTV로 범인을 잡아 재판에 넘겼다. 요르단 법원은 이해가 안 된다.
타국 사람한테 일어난 일이라 그런지 재판을 1년간 끌었다.
모두를 진 빠지게 했다.

그녀와 코이카 사무소는 끝까지 포기하지 않았다. 범인은 이집트에서
넘어온 노동자였다. 인생을 망치는 것은 순간의 욕망이었다. 3년 실형이
떨어졌다. 범인은 구속이 무서워 잠적했다. 형이 확정됐는데 도망칠 수
있다니? 2차 범행을 우려하는 그녀에게 법원은 걱정하지 말라고 했다.

"꼭 잡힌다. 그는 출국금지 상태다. 수영해서 바다를 건너지 않는 한
요르단을 나갈 수 없다."

'라잔'은 25세 아랍 여성이며 내 과외 선생이다. 나는 일주일에 두 번 수업을 받는다. 내 수업은 좀 특이하다. 수필 형식으로 써서 '라잔'한테 2시간 동안 교정을 받는다. 수필 주제는 내가 알아서 정한다. 오늘은 작심하고 '일타하로쉬 일진씨이(성추행)'에 대한 내용을 썼다. 현지 젊은 여성의 생각을 알고 싶어서였다.

'라잔'은 코이카 여성단원이 겪은 추행 사건을 듣고 분노했다. 같은 요르단 사람으로 놀랐고 미안하다고 한다. 경찰이나 법원의 일처리가 이해가 안 된다고도 했다. 앞으로 이런 일이 있으면 경찰서에 같이 가자고까지 했다. 나는 마지막 질문을 했다.

"코이카 사무소는 여성단원에게 복장이 중요하다고 말해. 남성을 자극하는 옷차림으로 절대 다니지 말라고 해. 그래서 여름에도 늘 긴 옷을 입고 다녀. 나는 저녁마다 동네를 산책하는데 젊은 미국 여자와 마주쳐. 그런데 그녀 복장이 이해가 되지 않아. 민소매와 짧은 쫄바지 차림으로 음악을 들으며 조깅하고 있는데 밤중에 위험하지 않아?"

'라잔'은 단호하게 말했다.

"요르단 남성은 미국 여성을 손대지 못해요. 절대로!"
"아니…… 왜?"
"미국인을 건드렸다가는 큰일 난다는 것을 그들이 알고 있기 때문이에요."

성추행 사건을 접하는 사람들의 태도는 일방적이다. 의심부터 한다.
'밤늦게 다녔거나 노출이 심한 옷을 입고 있지 않았을까?'

결국 여성단원에게 일어나는 성추행 사건은 옷차림새 문제가 아니었다.
국력에 있었다.

"당신은 어느 나라 사람입니까?"

22

집에
컴퓨터 없어요

휴대폰이 울렸다. 등록되어 있지 않은 번호였다. '귀찮은 전화가 아닐까?'
하며 받지 않으려다 통화 버튼을 눌렀다. 한 여성이 내 이름을 말했으나
나는 그녀를 몰랐다.

"저~는 요르단대학교 한국어과 학~쌩 '와파'라고 해요! 한국어를 콩~부하고
시~픈데 도와줄 수 있나요?"

떠듬거리는 목소리로 스터디를 하자고 제의해 왔다. 한국어과 신입생들이
한국어를 빨리 배우려면 학원을 다녀야 한다. 하지만 그들에게는 학원비도

없고 개인 과외비를 낼 돈도 없다. 그래서 나에게 한국어를 배우는 대신 아랍어를 가르쳐 주겠다는 것이다. 마침 요르단대학교를 자주 드나들던 때라 흔쾌히 승낙했다.

요르단대학교 정문 앞에서 만났다. 그녀는 나를 알고 있었다. 학교 행사 때 나한테 명함을 받았다고 한다. 큰 키에 '히잡'을 썼고, 눈썹라인을 짙게 그린 그녀는 한국어과를 막 입학한 새내기였다.

'와파'는 기본적인 한국어를 떠듬거리면서 말하는 정도였다. 나는 그녀가 한국어를 말하는 수준보다 좀 높은 아랍어를 구사할 때였다. 우리가 스터디를 하려면, 그녀는 학교 수업이 끝나고, 나는 문화부 근무가 끝나는 시간이어야 가능했다. 요르단 여대생은 학교 수업이 끝나면 바로 집에 가야 한다. 한국처럼 수업이 끝난 후 친구와 커피숍에서 놀다가 밤늦게 집에 갈 수 없다. 심지어 수업 끝나는 시간에 맞춰 차를 가지고 온 아빠가 교문 앞에서 기다리는 일이 다반사다.

와파와 스터디할 적당한 시간을 맞추지 못해 휴일인 금요일 오전으로 정했다. 요르단은 금·토요일이 휴일이다. 한국의 토·일요일과 같다. 다행히 그녀가 금요일 오전 수업이 있어서, 수업 후 캠퍼스에서 함께 공부하기로 했다.

무슬림 여대생과 단둘이 캠퍼스 벤치에 앉아 공부할 때 마음이 설레었다. 나도 공짜로 아랍어를 배울 수 있어 좋았다. 30분씩 교대로 한국어와 아랍어를 번갈아 진행했다. 나는 일상 회화 문장들을 주로 질문했다.

그녀는 학교에서 사용하는 한국어 교재를 펼쳐 수업 중 이해하지 못한
단어를 물었다. 수업 준비를 해 온 나와 달리 그녀는 항상 빈손으로 왔다.
질문하는 내용이 고심한 문장은 아니었다. 수업 태도도 산만했다.
나는 학원에서 개인 과외를 받고 있기 때문에 와파와 스터디를 꼭 해야 할
필요는 없었다. 그러나 그녀는 나한테 한국어를 꼭 배워야 학교 공부를
따라갈 수 있을 것이다. 그런 그녀한테 나는 한국어 교사 자격증이 있는
사람이니 열심히 공부하라고 말해 줬다. 그녀가 나한테 많이 배워서
한국어를 잘하기를 진정 바랐다.

캠퍼스 벤치 스터디는 한 달 만에 끝났다. 서로 그만하자는 말도 없이
흐지부지 끝냈다. 와파는 한국어보다 한국에 관심이 컸다. 한국 드라마에서
본 국방색 재킷이나 화장품 등을 부러워했다. 학교에서 스터디를 하는
것보다 나하고 밖으로 나가 물담배(아르길레)를 피우며 음식 먹는 것을 더
좋아했다. 물담배는 호기심으로 여러 번 피워 봤다. 연기로 가득한 밀폐된
공간에 앉아 담배를 빨며 음식을 먹는 일은 고역이었다. 단지 이것을 하려고
휴일을 반납할 수는 없었다. 그래서 바쁘다는 핑계로 그녀와 더 이상
스터디 약속을 하지 않았다.

한 달가량 연락이 없다가 그녀한테 전화가 왔다. 전통 시장에 있는
'하셈' 식당에 사촌 동생과 같이 있다는 전화였다. 사촌 '림'과 셋이 만나
커피숍에서 물담배와 커피를 시켜 오랜만에 한 시간가량 유쾌하게
떠들었다. 역시 그녀는 한국어 공부에는 관심이 없어 보였다.

와파가 자기 집이 가깝다며 가자고 했다. 뜻밖에 얻은 기회였다.

나는 그녀의 가족을 만나 보고 싶었다.

'와파는 어떤 집에서 살고 있을까?'

요르단은 빈부격차가 크다. 아주 잘살거나 아니면 아주 못산다. 돈 있는

사람이 돈을 벌 수밖에 없는 사회구조다. 집 한 채 가진 사람이나 열 채

가진 사람이나 내는 세금이 똑같다.

우리 셋은 암만 중심가인 '자발 후세인' 근처에 있는 그녀의 집으로 갔다.

그녀 어머니한테 주려고 요르단 전통 과자 '할위야트'를 사 들고 설레는

기분으로 골목길을 내려갔다. 골목은 차가 다닐 수 없을 만큼 좁고 경사가

심했다. 산비탈에 빽빽이 찬 벽돌집 사이에 있는 그녀의 집은 초라했다.

마당이 없어 곧바로 집 안으로 들어갔다. 햇빛조차 들지 않는

어두컴컴한 집이었다.

'이렇게 작은 집에서 일곱 가족이 살 수 있을까?'

'책상조차 없는 그녀가 대학생활을 어떻게 견딜까?'

문득 그녀와 캠퍼스에서 스터디할 때 그녀가 했던 말이 생각났다.

나는 컴퓨터로 작업해서 뽑아 온 수업 자료를 그녀한테 내보였다.

그러고 나서는 불평을 했다.

"왜 너는 아무 준비도 없이 그냥 오니? 이렇게 해 오면 서로 공부하기

좋잖아?"

그때 그녀는 얼굴을 돌리며 말했다.

"집에 컴퓨터 없어요."

와파는 몸이 아파 누워 있는 아버지와 그늘진 얼굴을 한 어머니를 소개했다.
예쁘고 발랄한 그녀 동생들은 좁은 방에서 만났다. 천천히 그녀 집을
둘러봤다. 작은 방 두 개, 부엌 그리고 침침한 시멘트 바닥으로 된 거실에는
빨래가 널려 있었다. 안방에는 TV 한 대와 장롱이 있었고, 벽에 달린 작은
선풍기가 돌고 있었다. 여대생이라면 누추한 환경과 남루한 가족을 감추고
싶었을 텐데, 나를 초대한 그녀의 용기가 대견스러웠다.

'요르단 최고 대학을 어떻게 들어갔을까?'
마주앉은 와파 얼굴을 쳐다봤다. 밖에서 볼 때처럼 와파는 그늘 없는
모습이었다. 오늘 여기 와 보지 않았으면 그녀가 웬만큼 사는 집 딸이라고
생각했을 것이다. 와파가 콩으로 만든 국과 밥을 가져왔다. 나와 와파,
사촌동생 림은 밥상도 없이 방바닥에 음식을 놓고 허리를 숙여 가며
밥을 떠먹었다.

한때 직업 군인이었던 그녀 아버지와 오랫동안 얘기를 했다. 와파 얘기,
한국 얘기 그리고 연금으로 생활하는 얘기 등. 때마침 신혼여행 중인 와파
언니한테 전화가 와서 나를 바꿔 줬다. 얼굴은 모르지만 동생한테서
내 얘기 많이 들었다고 했다. 와파 언니가 직장을 다녀서 경제적으로

도움이 된다는 얘기를 와파한테 들은 적이 있다. 이제는 그녀마저 결혼을 해 버려 군인 연금으로만 가족생계를 꾸려 가야 할 것이다.

2시간 정도 머문 후 그녀의 집이 답답해서 일어섰다. 집을 나오자 햇빛이 남아 있는 골목에서 선선한 바람이 불어왔다. 열세 살이라는 여동생 '싸파'는 나에게 택시 타는 곳을 알려 주겠다며 따라왔다. 좁은 골목길에는 여전히 아이들이 뛰어다녔다. 택시를 탈 때 싸파에게 1디나르(1600원) 지폐를 쥐어 줬다. "감사합니다", "안녕히 가세요" 하고 한국어로 인사한다. 택시가 언덕을 돌 때까지 싸파는 길 위에 서서 나를 보고 있었다.

요르단을 떠난 지 6개월이 지나갈 무렵.
요르단에서 날아온 음성 메시지 하나가 내 휴대폰에 찍혔다.
'어이쿠! 와파한테 한국으로 돌아간다고 말하지 못했구나!'
요르단 생활이 끝나갈 때 남아 있는 단원들과 이별하느라 나는 정신이 없었다. 오랜만에 듣는 그녀 소식이 반가웠다. 미안한 마음에 얼른 음성 파일을 열었다. 와파는 아직도 한국어가 서툴렀다.

"썬샌님! 어디~에 있어요? 요르단에 있어요? 한국에 있어요? 나는 몰~라요!"

23

올리브
나무

골목길에 올리브 나뭇가지가 내려와 있다. 나뭇잎이 머리에 닿을까 봐
보도를 내려와 차도로 걸어 다녔다. 오늘은 그냥 지나갔다. 올리브 잎이
머리를 툭툭 쳤다.

'몸이 가볍다.'
피곤하면 몸이 무거워야 할 텐데 그렇지가 않았다. 온몸이 가벼워서 땅을
딛는 발바닥 중력이 약하다. 주말 이틀을 쉬었는데도 출근길이 멀다.
9시 20분 전에 집을 나와 걸으면 출근 시간에 정확히 일터에 도착하는데
늦었다. 퇴근하면서 마트에 들러 소고기를 샀다. 혼자 살아도 식사를

거르지는 않지만 몸에 뭔가를 더 채워야 할 것 같았다.

다음 날도 몸은 가벼웠다. 고기를 많이 먹었기 때문에 몸이 무거워야 되는데, 그 다음 날도 가벼웠다. 누구에게 말하기도 어렵고 병원에 가서 의사한테 설명하기도 애매한 증상. 그저 몸 에너지가 10% 정도 빠져나간 것 같았다. 이 상태는 더하지도 덜하지도 않고 3주 동안 이어졌다. 요르단에서 봉사활동을 하며 2년 넘도록 생활했지만 처음 겪는 지루한 무기력이었다. 영화장비를 차에 싣고 오지 마을 아이들을 찾아가 영화를 보여 주는 일을 해 왔다. '시네마천국'이라는 협력활동으로 요르단 전역을 돌아다녀야 하기 때문에 많은 에너지가 필요하다. 하지만 당시 몸 상태로는 다음 예정된 활동조차 아득했다. 일보다 내 몸이 더 걱정이었다.

퇴근길, 노곤한 몸은 햇빛으로 더 쳐져 한 걸음 내딛기도 힘들었다. 길가 올리브나무 그늘 아래 앉았다. 손가락만 한 올리브 나뭇잎은 바람에도 흔들리지 않았다. 맥없이 앉아 있는 내 앞으로 차들이 시끄럽게 지나가고, 히잡을 쓴 여자가 아이 손을 잡고 길을 건너왔다. 나뭇잎 사이로 가지에 단단히 매달린 올리브가 보였다. 다시 아버지가 생각났다. 나처럼 기력 없이 걸어 다니시던 아버지 모습이 작은 나뭇잎 사이로 언뜻언뜻 보였다. 사실 지난주부터 내 몸 상태가 아버지를 떠올리게 했지만 몸서리치며 고개를 흔들곤 했다. 더 이상 떨칠 수 없을 것 같았다. 아버지 나이와 내 나이를 계산해 봤다. '아! 벌써 내가?'

아버지는 '루게릭병'으로 77세에 돌아가셨다. 근육이 활동을 멈추면서 몸에 있는 에너지를 몽땅 빼 버리는 병. '근위축성 측삭경화증', 뉴욕 양키스 4번 타자였던 '루게릭'이 앓던 '루게릭병'이었다. 10만 명 중 1명이 발병하며 5년을 넘기기 힘들다는 병. 한마디로 '루게릭병'은 뇌와 척수에 있는 운동 신경원이 손상되는 질환이다.

"'루게릭병' 유전인가요?"

그때, 아버지보다 내가 걱정되어 절박하게 물어본 기억이 난다. 의사는 유전은 아니라며 나를 안심하게 했다. 그런데 지금 내 몸 상태는 그때 아버지 모습 그대로다. 아버지는 집으로 오는 언덕길 한가운데 털썩 주저앉았다. 일어나야 하는데 마주 오는 차를 보고서도 그냥 가만히 앉아 계셨다. 이웃 주민이 지나다 아버지를 일으켜 세워 집으로 모셔 왔다. 술 때문이라고 나는 잔소리를 했다. 같은 일이 여러 번 이어지자 아버지는 아예 밖을 나가지 않으셨다. 늘 방 안에 누워 계셨다. 난 그런 무기력한 아버지를 무던히 책망했다.
"집에만 계시니까 기력이 없는 거예요!"

'루게릭병'에 걸리면 몸에서 에너지가 빠져나간다. 마치 예정되어 있는 스케줄처럼. 몸은 감각을 매일 잃어 간다. 빼앗기고, 또 빼앗긴다. 쉼 없이 조금씩 진행되기에 유언조차 남기지 못하게 한다. 그리고 나서는 한 가닥 숨까지 끊는다. 16년 전 내 아버지도 유언 한마디 남기지 못하셨다.

'루게릭병'이라는 것을 아버지도 몰랐고 나도 몰랐다. "몸이 이상하니 병원에 가자"고 한 번도 말씀하지 않으셨다. 기력이 떨어진 줄만 알았다. 화장실에서 넘어져서 척추를 다쳤을 때, 병원에서 진단받고 나서야 비로소 알았다. 평생을 아버지와 함께 산 나는 보호자였고, 방관자였다. 치료약이 없는 난치 질병이어서 가족은 망연히 지켜볼 뿐이다. 설령 이 병을 미리 알았더라도 치료가 되지 않으니 서로의 고통만 길었을 뿐이겠지만.

아버지의 근육은 하루에 하나씩 움직이지 않았다. 심장에서 가장 먼 곳부터 가까운 쪽으로 근육은 조금씩 조금씩 죽어 갔다. 발에서 무릎으로, 무릎에서 허리로. 남은 감각이 몇 개 없었다. 급기야 인공호흡기 없이는 스스로 숨 쉴 수 없는 상태까지 왔다. 아버지는 면회 온 나에게 산소 호흡기를 코에 꽂은 채 목소리 없는 말씀을 하셨다. "지금까지 병원비가 얼마냐? 산소 호흡기를 가지고 집으로 가면 되지 않니." 평생을 아끼면서 사신 분이라 숨이 멈출 때까지도 병원비를 걱정하셨다.

'루게릭병'은 아버지의 남은 시간을 빠르게 돌렸다. 손가락으로 시침을 획획 돌리듯이. 그 시계에 어머니도 함께 휩쓸렸다. 어머니는 '간경화증'을 앓고 계셨다. 어머니를 진료하시던 의사는 간이 이렇게 큰 사람은 처음이라며 놀라워했다. 서울 변두리에서 중앙대학병원까지 매일 오가며 아버지를 숨 가쁘게 간호하다 쓰러지셨다. 내가 회사에서 야근을 하고 있을 때 어머니를 중환자실로 옮겼다는 연락을 받았다. 부모님은 같은 병원 중환자실에 계셨던 것이다. 회사에서 잠시 빠져나와 어머니를 뵈었다.

나보고 너무 아프다며 수면제를 달라고 하셨다. 아침에 퇴근해서 다시 오겠다고 말씀드리고 돌아섰다. 너무 이상해서 고개를 돌렸다. 어머니가 모로 누워 맑은 눈으로 나를 보고 계셨다. 회사로 돌아오자 어머니가 돌아가셨다는 연락이 왔다.

큰 근육부터 마비되어 목소리조차 낼 수 없다가 급기야 호흡을 멈추게 하는 병. 인공호흡기를 달면 정신이 살아나기에 타인이 당신의 숨결을 이었다 붙였다 하는 병. 결국 아버지는 어머니가 가신 겨울 끝자락에 기나긴 투병을 끝내셨다. 중환자실에서만 2년을 버티시다가 명료한 정신으로 호흡만 멈춘 채 세상을 떠나셨다.

'루게릭병일까?'
나는 초조했다. 옆에서 지켜봤던 아버지 증상과 지금 내 몸 상태를 하루하루 계산했다. '같다'는 생각을 했다. '아닐 것이다'라는 위안도 했다. '이제 어떡하나?' 해외봉사활동이고 뭐고 빨리 집으로 돌아오라고 할까 봐 가족한테 증상을 숨기고 있었다. 아버지와 같은 병이면 한국으로 돌아가야 한다는 생각을 했다. 그것이 나와 가족을 위해서 올바른 일일 것이다. 그러나 돌아갈 수도, 남아 있을 수도 없게 됐다. 요르단 국경 '조우페' 마을 봉사활동이 다음 달에 예정되어 있다. 300명의 아이들이 우리 팀을 기다리고 있을 것이다. 이미 막대한 예산도 풀렸다.

무기력 증상이 끝나 주기만을 기다릴 뿐이었다.

집을 나섰다. 아침인데도 골목은 햇볕으로 뜨거웠다.

몸이 바람에 밀리듯 이리저리 흔들리는 것 같았다.

터덕터덕 걷는 내 모습이 흡사 아버지 같았다.

'그때 아버지는 무슨 생각을 하셨을까?

왜 가족한테 몸이 이상하다고 말하지 않으셨을까?'

골목길에 지나는 올리브나무를 올려다봤다. 나무는 아버지와 닮았다.

두 계절이 지나도록 비 한번 오지 않는 메마른 땅에서 쓸쓸하게 견디며

열매를 단다. 결코 비를 기다리는 것 같지 않다. 그저 푸르게 서 있다.

내 아버지같이.

대화(對話) - 마종기

아빠, 무섭지 않아?

아냐, 어두워.

인제 어디 갈 거야?

가 봐야지.

아주 못 보는 건 아니지?

아니. 가끔 만날 거야.

이렇게 어두운 데서만?

아니. 밝은 데서도 볼 거다.

아빠는 아빠 나라로 갈 거야?

아무래도 그쪽이 내게는 정답지.

여기서는 재미없었어?

재미도 있었지.

근데 왜 가려구?

아무래도 더 쓸쓸할 것 같애.

죽어두 쓸쓸한 게 있어?

마찬가지야. 어두워.

내 집도 자동차도 없는 나라가 좋아?

아빠 나라니까.

나라야 많은데 나라가 뭐가 중요해?

할아버지가 계시니까.

돌아가셨잖아?

계시니까.

그것뿐이야?

친구도 있으니까.

지금도 아빠를 기억하는 친구 있을까?

없어도 친구가 있으니까.

기억도 못 해 주는 친구는 뭐 해?

내가 사랑하니까.

사랑은 아무 데서나 자랄 수 있잖아?

아무 데서나 사는 건 아닌 것 같애.

아빠는 그럼 사랑을 기억하려고 시를 쓴 거야?

어두워서 불을 켜려고 썼지.

시가 불이야?

나한테는 등불이었으니까.

아빠는 그래도 어두웠잖아?

등불이 자꾸 꺼졌지.

아빠가 사랑하는 나라가 보여?

등불이 있으니까.

그래도 멀어서 안 보이는데?

등불이 있으니까.

겨울까지 사는 사람들

24

택시
운전사

천국을 이상적이라고 하면 너무 멀다. 그저 마음 편한 곳이라 하자.

요르단에도 천국이라고 말할 수 있는 것이 몇 개 있다. 골목을 마음 놓고
어슬렁이는 '고양이 천국', 공부 안 해도 가문이 취업시켜 주는 '가문의 천국',
4명의 신부를 눈치 안 보고 맞이하는 '결혼의 천국' 그리고
'택시 타기 천국'이다.

요르단에 와 보면 택시타기가 쉽지 않다는 것을 알게 된다. 그런데 왜,
택시 타기 천국일까? 택시가 럭셔리하거나, 운전사가 친절해서가 아니다.

택시요금이 싸기 때문이다. 요르단 택시비는 한국의 버스비보다 싸다.
1600원이면 가까운 거리 어디든지 갈 수 있다. 다른 물가에 비해 택시
요금이 싼 것은 정책적 배려일지도 모른다.

요르단 수도인 '암만'에는 전동차가 없다. 대중교통이 얼마 없다 보니
시민들이 택시를 많이 이용한다. 시민의 발과 같은 택시 요금이 비싸면
국민들이 불평할 것이고, 정부는 부담이 될 것이다. 그래서 택시 연료인
LPG 가격을 정부가 통제해서 택시 요금을 낮춘다. 취사용이나 가정용
난로에도 LPG를 쓰는데, 만 원짜리 한 통이면 3개월 이상 사용한다.
주식인 빵이 지나치게 싼 것도 같은 맥락이다. 생필품 값이 싸기 때문에
직장인들이 받는 월급 50만 원으로 6~8명 식구들이 살 수 있다.
이 돈으로 아이들 공부시키고 휴대폰 요금도 내고 차도 끌고 다닌다.

걷기를 좋아하는 나도 자주 택시를 탄다. 요금 부담이 없기 때문이다.
걸어서 20분 정도 가는 출퇴근길을 제외하고는 늘 택시를 이용한다.
"싼 게 비지떡"이라는 속담은 요르단 택시를 타 보면 알게 된다. 우선
운전사가 불친절하다(운 좋으면 친절한 운전사를 만난다). 차 내부가
지저분한 것은 참을 수 있는데 난폭 운전은 경주용 차를 탄 듯 불안해서
참을 수가 없다.

나는 세상에서 요르단 택시 운전사가 가장 운전을 잘한다고 생각한다.
그들은 네 가지를 동시에 하는 사람들이다. 운전하면서(그것도 난폭 운전?)
담배를 피우며 커피를 마신다. 그리고 끝없이 누군가와 통화한다. 이렇게

혼을 빼 놓고 목적지에 도착하면 택시 요금을 높게 부르는 것이다. 아랍어로
운전사에게 따질 수준이 안 되던 시절 나도 많이 당했다. 봉사단원으로
요르단에 막 파견되었을 때, 택시 타기는 공포였다.

이들 수법은 뻔하다. 택시를 타면 "미터기가 고장났다"고 말한다. 이건
요금을 두 배 받겠다는 심보다. 주행 중 계속해서 말을 건다. "어느 나라에서
왔냐? 나는 한국을 좋아한다. 한국 자동차 성능이 좋다." 이렇게 친절한
척하는 운전사는 먼 곳으로 돌아가거나 아니면 미터기를 조작해 둔 것이다.
처음 요르단에 파견되면 택시 운전사한테 사기 안 당하는 법을 배운다.
만반의 준비를 하고 택시를 타면 운전사가 나보다 한 수 위다.

택시를 타고 가다 보면 길가에 택시를 세워 둔 채 양탄자 위에 엎드려
'알라' 신에게 기도하는 운전사들을 자주 목격한다. 천국과 지옥이
함께 있다. '알라'에게 '올바르게 살겠다'고 기도한 후 택시로 돌아와서는
어리바리한 승객들에게 바가지 씌운다. '목구멍이 포도청'이라고 생활이
버겁다는 얘기다. 그만큼 택시 운전은 요르단 사람들의 생업이다.

단지 그것뿐이다. 악착같이 돈을 벌려는 운전사 엉덩이를 발로 냅다
차 주면 된다. 해코지하거나, 물건을 훔치거나, 사람을 납치하는 커다란
사건은 요르단에 없다. 그들은 구걸할망정 절대로 남의 물건에
손대지 않는다. 커피숍에 지갑을 두고 나왔다가 돌아가 보면
그 자리에 그대로 있다.

나는 요르단에 와서 돈보다 휴대폰을 더 소중하게 여기게 됐다.
요르단에서 생활한 모든 것이 휴대폰에 저장되어 있기 때문이다. 특히
이제까지 공부한 아랍어 자료들은 모두 휴대폰에 정리해 두고 필요할
때마다 찾아 썼다. 휴대폰만 있으면 현지인과의 대화가 두렵지 않았다.
이것을 잃어버린다는 것은 공부한 모든 아랍어를 잃어버리는 셈이다.
그래서 휴대폰이 안 보일 때마다 깜짝깜짝 놀란다.
밤길에 귀신을 만나도 이보다 더할까 싶다.

내 휴대폰이 없어진 사실을 안 것은 학원 선생과 수업을 막 시작할 때였다.
호주머니에도 없고 가방을 뒤져도 없었다. 분명 택시에 빠뜨린 것이다.
망했다. 나뭇가지가 바람에 부러지듯 정신이 뚝 꺾였다. 뒷일이 정리가 안
되고 머릿속이 멍했다. 2년간 저장해 놓은 현지 친구 전화번호와 뼈 빠지게
공부한 아랍어 문장이 휴대폰에 모두 들어 있었다. 무엇보다 수업 내용이
녹음된 파일 수백 개를 몽땅 잃었다.

'라잔' 선생은 "걱정 말아요!" 하며 자신의 휴대폰을 꺼내 내 번호를 눌렀다.
나는 속으로 생각했다.
'전화가 연결될 리가 없지, 누가 돌려주겠어!'

요르단에서 한국산 스마트폰을 사려면 월급의 반을 투자해야 한다.
학생들에게는 꿈같은 일이다. '라잔'은 계속 전화했다. 나는 속상해서
뒤돌아서 창밖을 내다봤다. 어차피 오늘 수업은 못한다. 휴대폰 없이

수업하기 어렵거니와 공부할 마음이 생기지 않았다. 2년간 열심히 정리해서
저장한 자료가 불시에 날아갔다.

그런데 '세상에!' 일곱 번쯤 연결을 시도한 끝에 한 남자 목소리가 들렸다.
'라잔'이 물었다.

"전화 받는 분은 누구세요?"

"나는 교통경찰입니다."

"그 전화기 잃어버린 건데요?"

"네, 택시 운전사가 나한테 맡겨 뒀어요."

같은 단원인 '히바(미술교육)'는 택시에 거금 50만 원이 든 지갑을 두고
내렸다. 요르단에서 50만 원은 엄청 큰돈이다. 코이카 본부는 분기별로
생활비를 요르단 은행 계좌로 입금해 준다. 요르단에서는 모두 현금 거래를
하기 때문에 그녀는 은행에서 한 달 생활비와 집세를 인출한 뒤 집으로
오기 위해 택시를 탔던 것이다. 지갑을 잃어버린 줄 모르고 집에 와 있는데
전화벨이 울렸다.

"혹시, 지갑 잃어버리지 않았습니까?"

그때야 지갑이 없어진 것을 확인한 그녀는 화들짝 놀라 물었다.

"누구세요?"

"택시 운전사입니다."

"어떻게 제 번호를 알았어요?"

"지갑 안에 병원 영수증이 있어 그곳에 전화해서 알아냈어요."

25

이름은
무함마드였다

한 번쯤 이름을 물어보고 싶었던 그가 길 중앙에 앉아 있다.
퇴근길인데도 아직 뜨거운 길 위에 있다. 보행 신호가 떨어지면 행인은 길을
건너고, 안쪽 차선에서 기다리던 차들은 U턴 한다. 그는 중앙 분리대에
앉아 있다가 U턴 신호를 받기 위해 기다리는 차 앞에 가서 신문을 판다.
뜨거운 햇살과 차가 출발할 때 내뿜는 매연은 그와 상관없는 것들이다.

햇빛이 건조해 땀은 나지 않지만 퇴근길은 늘 덥다. 문화부에서 3시에
퇴근해 집으로 오려면 6차선 도로를 건너야 한다. 이 도로에는 신호등이
하나뿐이다. 암만은 요르단의 수도이지만 길을 건너게 하는 신호등은 많지

않다. 그냥 알아서 길을 건너면, 달려오는 차가 속도를 늦춘다. 이미 이런
교통 문화에 적응되어 신호등 앞에서 기다리는 시간이 지루하다. 그냥 차가
뜸할 때 건너가고 싶은데 신호등이 있으니 기다릴밖에….

출퇴근 때마다 그 길을 지나치다 보니, 차도에 있는 그도 나를 알아보고
알은체한다. 반드시 이곳 신호를 받고 길을 건너야 했기에 우리는 하루
두 번씩 만난다. 이제는 길을 건널 때마다 그가 먼저 손을 흔들어 줄 정도로
친해졌다.
'어디에 살까?'
'결혼은 했을까?'
'하루에 얼마를 벌까?'
늘 궁금했다. 다리를 심하게 절뚝이는 그가 안돼 보였기 때문이다.
그와 대화할 수 있는 시간은 기다리던 차들이 U턴할 때뿐이다. 신호가
바뀌는 시간이 짧아 오래 물어볼 수도 없다.

그에게 줄 초콜릿을 가방에 넣고 오늘은 얘기를 해 보리라 마음먹었다.
출근길보다 퇴근길이 그에게는 한가할 것이다. 보행 신호 때 도로를 반쯤
건너다 말고 불쑥 그에게 갔다. 뜨악한 표정으로 나를 보던 그는 웃었다.
나는 손을 내밀었다. 절룩거리는 몸을 반쯤 일으켜 그는 내 손을 잡았다.
무함마드라고 했다. 한국의 김(金)씨 성처럼 무함마드는 요르단에서
가장 흔한 이름이다. 이슬람 창시자 '무함마드'처럼 되라고 너도나도 짓는
이름이다. 모자에 가려진 얼굴이 보였다. 장애인이 아니었으면 길에서 이런

일을 하지 않을 정도로 표정이 진지했다.

결혼은 하지 않았다고 한다. 집은 이곳에서 버스를 타고 1시간 가야 하고
엄마와 함께 산다고 하면서도 엄마 나이는 말하지 않는다. 그는 종일 길
위에 앉아 신문을 팔아 생활하고 있다. "신문을 팔아 하루 얼마 버니?"
하고 묻고 싶었다. 그러나 차마 묻지 못했다. 그게 제일 궁금했는데.
내가 표현하지 못하는 어려운 아랍어를 영어로 바꿔 말해도 그는 모두
알아들었다. 내심 놀랐다. 여기저기 떠도는 장사치가 아니었다. 떠나면서
그에게 준비해 간 초콜릿을 건넸으나 괜찮다며 손사래 친다.

비가 와도, 황사가 심해도 그는 늘 그 자리에 있었다. 그런데 웬일인지
그 날은 무함마드가 없었다. 신문꾸러미가 있으면 밥 먹으러 간 것일 텐데,
그마저도 없었다. 그가 없는 출근길을 건너기는 처음이었다.
내일은 나오겠지 했는데, 일주일이 다가도록 그는 길에 나오지 않았다.
'몸이 많이 아픈가?'
매일 있어야 하는 그가 보이지 않으니 걱정스러웠다. 주변에 그가 왜 오지
않는지 물어볼 만한 사람도 없었다. 한 번도 누구와 같이 있는 것을 본 적이
없었기 때문이다. 문득 길가에 있는 이발관이 생각났다. 한 달 전 머리를
깎으러 들어간 이발소에 그가 있었다. 더위를 피해 잠시 쉬러 온 것이었다.
이발소 주인은 단골인 나와 친구라서 무엇이든 물어볼 수 있다.
"무함마드가 안 보이는데 이유를 아니?"
"응, 알아!"

"왜 요즘 길에 안 나와?"

"감방에 가 있을 거야!"

"정말! 무슨 일로?"

"이유는 모르는데 뭘 잘못한 것 같아."

그러고 나서 그는 덧붙였다

"무함마드 엄마가 혼자 있을 텐데 걱정이야."

감방에 들어갔다면 내가 요르단을 떠나기 전에는 그를 못 볼 것이다.

안타까웠다. 신호등 길을 지나칠 때마다 혹시 했지만, 신문꾸러미가 있던

자리는 늘 비어 있었다.

'누군가를 알고 나면 마음 쓸 일이 이렇게 많다.'

3개월쯤 지났을까? 무함마드 만나기를 포기했던 출근길.

멀리서 무함마드가 보였다. 중앙분리대에 앉아 있다가 나를 보자 벌떡

일어나 손을 흔들었다. 반가웠지만 꾹꾹 참고 나도 손을 조금 흔들어 줬다.

신호등 앞에서 우리는 서로 마주 보고 있었다. 신문을 겨드랑이에 낀 채

무함마드는 계면쩍게 웃었다. 야윈 얼굴이었다. 그가 정말 나쁜 짓을 해서

감방에 갔다 온 건지 확신할 수 없어 그동안 왜 안 보였는지 물을 수 없었다.

길을 건너며 그가 감방에 간 사실을 모른 척 덤덤히 말했다.

"무함마드 잘 있었어? 오랜만이야!"

퇴근 후 요르단대학교 앞에 갈 일이 생겼다.

코이카 단원 '누르(사회복지 단원)'와 저녁 약속을 하고 집 앞에서 택시를
기다렸다. 20분을 기다려도 오지 않아 짜증이 나서 걸어갔다. 저녁 시간은
택시 타기가 힘들어 걷는 편이 빠를 것 같았다. 걸어서 30~40분이면
학교에 도착한다. 사거리를 건너 사람들이 분비는 식당 앞을 지나갔다.
누가 내 등을 '툭!' 쳤다. 깜짝 놀랐다.

무함마드였다.
퇴근할 때 신호등 길에서 만났는데 또 여기서 만나다니? 몸도 불편한데
왜 여기 왔을까? 걱정되어 물었다.

"여기는 웬일이야?"
"그냥 볼일이 있어서"
"무슨 볼일인데?"
"사실은 이 식당 주차장에서 일하고 있어."

무함마드의 대답을 듣는 순간 눈물이 핑 돌았다. 연민 때문이 아니었다.
일을 너무 많이 하고 있었기 때문이다. 내가 출근하기 전부터 길에 나와서
지금까지 일하고 있는 그였다. 그가 길에서 보내는 하루는 이렇게 길다.
'3개월간 감방에 있어 벌지 못한 돈을 벌려고 밤까지 일하는 건가?'
'아니면, 오래전부터 밤낮으로 일을 하며 살아온 것인가?'

무함마드 앞에서 나는 머뭇거렸다.

'샤와르마(요르단식 샌드위치)라도 사 주면 안 될까?'
암만에서 유명한 샤와르마 가게 앞에 손님들이 줄지어 서 있었다. 문득
지난번 길에서 초콜릿을 건넸을 때 불편해하던 모습이 떠올랐다.
그냥 돌아서야 했다.

누구나 사는 일은 구구하다.
요르단에 많은 친구가 있지만, 무함마드는 길에서 알게 된 특별한 친구다.
처음 길 위에서 만났고, 두 해가 지나서도 역시 길에서 만나고 있다.

요르단을 떠날 때까지.
나와 그는 길 바깥에서는 만날 수 없는 사이였다.

26

교실에
있을 때

"나는 마술사다~!"

큰 소리로 말하며 손 안에 압축해서 움켜쥔 요술 막대기를 아이들
쪽으로 '쫘~악!' 폈다. 갑자기 손에서 요술봉이 솟아오르자 아이들 눈은
휘둥그레진다. 이때를 놓치면 안 된다. 드라큘라 같은 목소리로 무섭게
말해야 한다.

"나는 한국에서 온 유명한 마술사다~! 너희에게 마술을 보여 주기 위해
먼 나라에서 왔다~!"

그리고 나서는 아이들 가까이 가서 부드러운 목소리로 말한다.

"어린이 여러분! 한국을 아나요?"
"네~에! 우리 '히바' 선생님이 한국 사람이에요."

'히바(미술교육 단원)'는 '아니사빈트 카압 세컨더리 스쿨'에서 유치원생과
저학년을 대상으로 미술을 가르친다. 이 학교는 수도 '암만'에서 차로 1시간
거리인 '마르카'에 있다. 가난한 동네임에도 규모가 큰 학교다.
코이카 단원 임기가 3개월이 채 안 남은 때였다. 돌아가기 전에 이 학교
아이들을 대상으로 미술 시범을 보이려고 '히바'에게 요청했다.
나는 요르단에 올 때 필요할 것 같아 한국에서 마술도구를 사 가지고
왔었다. 돌아갈 때 두고 가야 해서 마지막으로 사용해 보고 싶었다.

마술은 요술이 아니다. 빠른 손놀림으로 상대방을 놀라게 하는
기술이다. 사람이 하는 것이 아니라 마술도구가 부리는 신기한 기술이다.
그래서 마술을 하려면 반드시 도구가 있어야 한다. '나(영상미디어)'와
'무나(한국어교육)' 그리고 '히바' 셋이서 마술 파트를 나눴다. 어린이들을
대상으로 하지만 연습을 많이 했다. 마술 시범은 허접하면
금방 들킨다. 우리는 대입 공부하듯 연습에 몰입했다.

내가 맡은 마술은 'Box 마술(빈 종이박스에서 꽃 상자를 계속 꺼내기)'과
'공 마술(한 개의 공이 손가락 사이에서 여러 개로 바뀜)' 그리고 '손바닥
마술(손바닥에서 붉은 천이 없어졌다가 생김)' 등이다. 나는 20일 전부터
연습을 시작했다. 아예 마술도구를 가지고 출근했다. 문화부 직원들한테

내가 맡은 마술을 보여 줬다. 그들은 놀라며 어떻게 한 것이냐고 물었으나 끝내 가르쳐 주지 않았다.

'손바닥 마술'은 엄지손가락과 똑같이 만든 고무 골무를 엄지손가락에 끼워서, 조그만 천을 그 안에 숨기거나 빼내는 것이다. 갑자기 손바닥에서 사라진 붉은 천은 엄지손가락에 끼워진 골무 안에 숨어 있다. 상대방은 절대 눈치 못 챈다. 나도 너무 신기해서 길가에서 이 골무를 샀다. 이쯤 되면 준비가 끝났다.

D-day. '카압 세컨더리 스쿨' 강당에는 교장 선생님과 학급 담임 선생님 그리고 150명의 아이들이 모였다. 마술사 복장으로 변장한 우리는 마술 음악과 동시에 커튼 뒤에서 '짠!' 하고 나와 아이들을 놀라게 했다. 처음부터 아이들을 마술세계로 빠뜨리는 것이 중요하기 때문이다. 마술사 셋은 번갈아 가며 분위기에 압도된 아이들에게 마술을 선보였다. 이중 장치된 요술 주머니에서 사탕을 꺼내 줬다. 분명 밑이 뚫려 있는 빈 주머니인데 손을 넣으면 계속 사탕이 나왔다. 마술사탕을 서로 달라고 난리였다. 아이들은 신기해하며 환호했다. 우리를 한국에서 온 유명한 마술사라고 믿기 때문이다.

강당 마술에 이어 교실로 찾아가는 순회 마술을 하고, 유치원으로 갔다. 유아들이라 쉽게 할 수 있었다. 동전을 보자기에 싸서 마술 봉으로 '탁!' 치니 갑자기 사라졌다.

"동전이 어디로 갔을까요?"

그 동전은 뒤쪽에 있는 남자 아이 호주머니에서 나왔다.

꼬맹이들은 놀란 눈으로 서로 쳐다보며 말한다.

"우와~ 놀라워!!"

"어떻게 동전이 거기로 갔어?"

모르면 놀라는 이 마술의 비밀은 시작하기 전에 똑같은 동전을 한 아이의
호주머니에 몰래 넣어 두는 것이다. 보자기에 있는 동전은 마술 시범 때
밑으로 떨어뜨려 다른 손으로 받아 숨기면 감쪽같다.

마법사 모자와 긴 망토로 몸은 땀에 젖고 목소리는 잠겼지만, 마술 같은
하루였다. 나는 이런 마술 같은 세상을 좋아한다. 뜻하지 않은 일들이
불쑥불쑥 튀어나와 모두를 놀라게 하고 웃게 만드는 세상. 신비하고 놀라운
세계로 아이들을 끌고 가는 일. 티 없이 웃는 아이들과 교실에 함께 있을
때 스스로 뿌듯함을 느낀다. 어디를 가든 나는 아이들이 뛰노는 학교를
그냥 지나치지 못한다. 교문으로 들어가 운동장에서 노는 아이들을 보거나
교실을 기웃거리기도 한다. 4년 전 캄보디아에서도 초등학교 교실에서
운 좋게 수업할 기회가 있었다. 오늘처럼.

그러나 그날 수업은 아쉬움을 남겼다.

캄보디아 학생들은 검은색 하의와 흰색 상의로 된 교복을 입는다. 등굣길
그들을 보고 있으면 흑백 영화를 보는 듯했다. 교복이 없는 아이들은 집에서
입던 옷을 그냥 입고 학교로 온다. 나는 캄보디아에서 잠시 머물던 집
아이와 시장에 갔다. 시장 안의 한 미장원에서 그녀의 사촌 오빠인 '싸론'을

만났다. 그의 부인이 운영하는 미장원에서 그는 갓난아기를 돌보고 있었다. 대부분 캄보디아 사람들은 혼자서 두 가지 일을 하거나 아니면 부부가 각각 직업을 갖고 억척같이 살고 있다. 그는 '욱뜸뽀 프라이머리' 학교에서 영어를 가르치는 선생이라고 말했다. 학교에 가서 아이들을 만나고 싶어 하는 내게 그는 학교 이름을 적어 줬다.

다음 날 카메라를 들고 학교를 찾아갔다. '욱뜸뽀 프라이머리' 학교는 크고 넓었다. 운동장에는 아이들이 가득했다. 외국인을 처음 본 아이들이 내게 우르르 몰려들자 선생님들이 모두 교실에서 내다봤다. 그때 '싸론' 선생이 내 쪽으로 왔다. 수업 시작종이 울리자 '싸론'은 나를 교실로 이끌었다. 초등 3학년 교실에는 아이들이 60명 정도 있었다. 여학생이 남학생보다 훨씬 많았다. 이런 남녀 불균형은 캄보디아에서는 일반적인 현상이다. 교실 중앙에 앉아 있는 낯선 외국인 때문에 수업이 어수선해졌다. '싸론' 선생은 수업을 포기하고 아이들한테 말했다.
"한국에서 오신 손님인데, 궁금한 것을 질문하면 선생님이 통역해 주겠다." 나는 교단에 서서 질문을 기다렸다. 아이들이 수군거리다 한 아이가 손을 들었다. 첫 번째 질문을 '싸론' 선생이 통역해 줬다. 그러나 그 질문은 대답하기 꽤 난처했다. 흰색 반바지와 푸른색 반팔 티를 입고 교실 앞에 서 있는 내게 아이가 물었다.
"지금 입은 티셔츠가 집에 몇 개 더 있어요?"

아이들은 눈을 동그랗게 뜨고 답을 기다리고 있었다.

뜻하지 않은 질문에 나는 순간 고민했다. 옷걸이에 걸어 두거나 장롱 속에 쌓아 놓고 철따라 입던 옷을 세어 봤다. 그 많은 숫자의 옷을 아이들한테 도저히 말할 수 없었다. 그래서 계절마다 5개 옷을 계산해서 어림잡아 대답했다.

"twenty(20개)."

갑자기 아이들은 침묵했다. 나는 '아이들이 왜 그러지?' 하며 엉거주춤 서 있었다. '어떻게 그렇게 많은 옷이 집에 있을 수 있을까?' 하는 시선으로 나를 쳐다봤다. 순간 무엇인가 잘못됐다는 생각이 스쳤다. 이곳 사람들은 사계절을 모른다. 계절 또한 여름뿐이다. 이런 시골 마을에서 자란 아이들에게는 티셔츠가 20개나 있다는 것은 놀라운 일일 테다. 교복과 집에서 입는 옷으로 매일 지내는 아이들이다. 아니 교복도 없이 옷 한 벌로 1년을 지내는 아이도 있을 것이다.
그 아이들한테 한 내 대답은 잘못된 것이었다. 아이들은 더 이상 질문하지 않았다. 나는 놀라워하는 아이들 시선을 남겨 둔 채 교실을 나왔다.
후회스러웠다.

"집에 옷이 5개 있다."
이리 말했어야 했는데……. 아니다. 더 적게.

"지금 입고 있는 옷 말고, 두 개 더 있다."

27

꼭
가야 해

"여기를 누르면 통증이 심한가요? 보시다시피 X-ray에는 특별한 문제가
없네요. 인대 손상이나 뼈에 금도 가지 않았어요. 단지 이곳 신경이 좀
부어 있군요. 걸을 때 통증이 심하다는 것은 이해가 안 되는데요?"

요르단 생활 막바지를 달리고 있었다. 그동안 해 보지 못한 트레킹은 나를
유혹했다. 혼자 다니곤 했지만 단원들과 함께 걸을 때도 있었다. '다나'와
'피이난' 국립공원은 요르단에서 내가 가장 가고 싶어 하던 곳이다. 유명한
'페트라'와 '와디럼'이 있지만 '다나'와 '피이난'은 내게 특별한 장소였다.
'페트라'와 '와디럼'은 차로 접근할 수 있어 누구나 갈 수 있는 곳이다.

'다나'에서 '피이난'으로 이어지는 사막 길은 온전히 걸어야 하며, 전문 가이드가 없으면 길을 잃는 곳이다. 계곡을 따라 6시간 이상 내려가는 길에는 인적이 없어 일반인은 접근하기 어렵다. 하루 종일 아무도 만날 수 없는 그 길을 나는 걷고 싶었다.

'라하프(사회복지 단원)'가 요르단을 떠나기 전 꼭 가 보고 싶다고 해서 함께 가기로 했다. 가이드 비용이 비싸 부담되지만, 처음 가는 길이라 현지 가이드가 꼭 필요했다. 이번 트레킹이 끝나면 나는 이 코스를 아는 유일한 코이카 단원이 될 수 있어 투자해 볼 만했다.

출발은 '다나' 국립공원 산 정상에 위치한 '다나' 빌리지에서 해야 한다. 이곳은 작은 마을이다. 마을 아래로 메마른 산야가 안개처럼 흙빛에 잠겨 있었다. 30여 가구 주민 대부분은 호텔업에 종사하고 있다. 오전 9시 '피이난'으로 우리를 안내할 가이드 '아브라힘'을 만났다. 그는 '피이난' 마을에 사는 베두인이다. '피이난'은 '다나'와 연결되는 국립공원이며 베두인이 흩어져 살고 있는 작은 마을이다. 그와 함께 6시간 동안 '다나'에서 '피이난'으로 가는 트레킹을 시작했다.

언덕을 내려가며 본 '다나' 계곡은 온통 붉은 황무지였다. 마른 꽃과 야윈 나무들이 듬성한 바위틈에서 자라고 있었다. 햇빛을 가려 주는 나무가 없어 계속 걸어야 했다. 완만한 계곡을 세 시간 정도 내려가니 쉴 만한 나무가 보였다. 우리는 그 나무 그늘에서 모닥불을 피워 샤이(전통차)를 끓여 빵과 함께 먹었다. 아브라힘이 가져온 음식은 베두인 음식이었다.

딱딱한 빵과 설탕을 듬뿍 넣은 차였지만 황무지에서는 특별한 맛이 났다.
걷는 동안 사람은 보이지 않고, 도마뱀만 무수히 발밑을 지나다녔다.
쓸쓸해서 아름다운 길이었다.
'이런 곳에 사람이 다닌 흔적이 없다니?'

'피이난'이 가까워지자 계곡 아래에는 대나무 숲이 무성했다. 산 아래쪽에는
그나마 물기가 남아 있는 모양이다. 요르단에서 이만큼 숲이 우거진 곳은
보지 못했다. 라하프는 이곳이 마지막 여행이라는 생각을 했다. 그녀에게
추억을 남겨 주기 위해 카메라 셔터를 누르며 걸었다. 무거운 배낭을 멘 채
'인생샷'을 찍으려다 모래가 깔린 내리막길에서 미끄러져 비틀했다. 순간
카메라를 떨어뜨리지 않으려고 팔에 힘을 주다가 다리가 풀려 오른쪽
발목이 접질렸다. 삐끗할 때 '툭!' 소리가 났다. 느낌이 나빴다. 요르단에서
처음 겪는 일이었다. 바위 그늘을 찾아 신발을 벗고 삔 발목을 내려다봤다.

가이드 아브라힘이 근육을 풀어 주는 약을 바른 후 발목 마사지를 해 줬다.
접질린 발목이 아팠으나 부어오르지는 않았다. 하루가 지나면 발목이 붓고
통증이 심할 것이다. 아직 '피이난'까지는 한 시간 반을 더 걸어야 한다는
가이드 말이 아득하게 들렸다. 좀 쉬고 싶었으나 어둡기 전에 내려가야
했다. 응급조치로 압박붕대를 감고 절뚝이며 한 시간 반을 더 걸었다.
바람뿐인 언덕 위에는 커다란 텐트 하나만 덩그러니 있었다. 그곳에는
맨발로 뛰어다니는 어린 여자 아이 둘이 있었다. '스님'과 '스쥬드' 그리고
부인 '카미쓰' 모두 아브라힘의 가족이었다. 식구 네 명이 산 위에서

화장실도 없이 살고 있다. 나는 베두인 가족과 밤을 보내는 즐거움으로
아픈 발목을 견뎠다. 사막 끝에서 노을이 붉었다가 금세 깜깜해졌다.
산등성 텐트 위에 별이 떴다. 어둠보다 별이 더 많은 밤이다. '피이난'에 뜨는
별은 '와디럼'보다 가까이 보였다. 그의 부인 카미쓰가 만들어 온 베두인
음식 만샤프를 그들과 둘러앉아 맨손으로 먹었다. 발목은 욱신거렸으나
음식은 달고 세상은 아름다웠다. 눈을 감아도 별빛이 환해 밖에서 잘 수
없어 텐트 안으로 들어왔다.

새벽바람은 언덕에 있는 텐트를 세차게 흔들었다. 몇 번이고 깼다가
다시 잠들었다.
'여름 바람이 이렇게 세찬데, 어린 여자애들이 겨울바람을 어떻게 견뎠을까?'
마음이 쓰여 뒤척이다가 텐트 밖으로 나왔다. 멀리 내려다보이는
베두인 천막에서 연기가 피어올랐다. 바람 없는 산 아래는 새벽 공기에 싸여
조용했다.

발목이 점점 더 아파 왔다. 걸을 때마다 통증을 느낄 정도로 불편했다.
남아 있는 시네마천국 활동이 걱정됐다. 그주 목요일부터 연이어 4·5·6차
활동이 예정되어 있었기 때문이다.
'지금처럼 발이 불편하면 행사를 할 수 있을까?
돌아가서 바로 병원에 가야 할까?'
이런저런 고민 때문에 빨리 암만으로 돌아가야 했다. 아브라힘의 차를 타고
언덕을 내려올 때, 바위에 걸터앉아 있는 아이들을 돌아봤다. 아이들도

아쉬운지 떠나는 우리를 내려다보고 있었다.

'다나' 트레킹에서 돌아온 뒤에도 걷기 힘들 정도로 발목이 아팠다. 통증을
느낄 때마다 동행했던 라하프를 원망했다. 발목을 삔 이유 때문이 아니다.
그녀의 무관심에 몹시 화가 났다. 다친 날 밤 발목이 부어올라 멘소래담을
바르고 압박붕대를 감아도 그녀는 저만치 떨어져 있을 뿐이었다.
그저 병원에 가 보라는 말만 했다.
'한번쯤, 관심을 갖고 발목을 봐 주면 안 되나?'
여행이 끝날 때까지 나는 노골적으로 그녀에게 침묵했다. 발목 통증이
계속됐고 내 서운함도 이어졌다.

서로 소원한 감정은 풀었지만, 앙금을 남긴 채 라하프는 한국으로 돌아갔다.
분명 내 문제였다. 따뜻한 위로를 받고 싶었는데 그녀는 그것을 못 해
줬다. 그게 그녀의 성격일 것이라고 이해하면서도 서운했다. 이제까지 나를
도와준 것을 생각하면 그러지 말아야 했다. 그녀가 요르단을 떠날 때까지도
나는 미안하다는 말을 못 했다.

발목을 다치고 친구 관계도 다친 그곳!
'다나'에서 '피이난'까지 가는 길은 나만 아는 코스가 됐다. 그곳에 코이카
단원을 데리고 다시 갔다. 이번에는 내가 가이드였다. 비싼 가이드 비용을
내지 않아도 됐기 때문에 함께 가는 단원들이 좋아했다. 미끄러운 길에서 또
넘어질까 봐 조심조심 걸었다. 지난번 발목을 삐어 절뚝이며 지나친 대숲은

여전히 연둣빛이었다. 길 옆 베두인 집들은 이전보다 더 많이 비어 있어 길은 더 쓸쓸했다. 아브라힘 집은 언덕 밑으로 옮겨져 바람이 없었으나 두 딸은 여전히 맨발이었다.

나는 요르단을 떠나기 한 달 전, 세 번째로 '다나'에 갔다.
남아 있는 단원에게 길을 알려 주기 위함도 있었지만, 나만 아는 비밀의 장소를 여는 즐거움이 더 컸다. 나로서는 이번이 마지막 트레킹이라 나름대로 준비도 많이 했다. 동행자들은 처음 가는 길이라 2박 3일간 필요한 물품을 정리해서 분배했다. 먼 길이라 배낭 무게를 줄이기 위해 간식만 가져가고 식사는 아브라힘 집에서 해결하기로 했다.

'다나' 출발 3일 전 나는 아브라힘에게 전화했다. 베두인 전통음식 5인분을 도착 예정 시간에 맞춰 준비해 달라고 부탁했다. 동행하는 단원들이 가장 먹고 싶다는 음식이었다. 사막에서 전통음식을 준비하려면 도시로 나가 모든 재료를 사 와야 한다. 우리가 음식 값을 주면 오히려 그들 생활에 도움이 될 것이라는 생각에 일부러 요청한 것이다. 우리가 주는 돈이 맨발로 다니는 아이들 신발값이라도 되었으면 했다. 예상치 못한 일이 닥칠 줄은 꿈에도 몰랐다.
'다나' 언덕에서 '피이난'으로 가는 계곡을 내려다보며 함께 걷는 단원들에게 나는 전문 가이드답게 말했다.
"계곡 끝 지점 먼 산이 '피이난'이다. 여기서부터 여섯 시간을 걸어야 도착한다. 길이 몹시 미끄럽다. 다친 사람은 길에 두고 갈 수밖에 없다.

각자 알아서 걸어라!"

산 정상에서 꾸불꾸불 흘러내리는 비탈길은 아래로 내려갈수록 가팔랐다.
1㎞ 정도 급경사로 휘어진 길이다. 길은 햇빛에 메말라 작은 돌들이 신발에
밟혀 튀었다. 마치 아스팔트에 모래가 깔려 있는 내리막길 같았다. 동료들이
잘 걷고 있을까 뒤돌아보다가, 나는 순간 휘청했다. '주르륵!' 미끄러지다
발목이 꺾여서 멈췄다. 지난번에 다친 발목이었다. 뼈가 부러지는 '투툭!'
소리가 선명했다. 꺾이는 순간 위에서 발바닥이 보일 정도였으니 심하게
접질린 것이다. 배낭을 짊어진 채 털썩 주저앉았다. 단원들이 놀라
나를 둘러쌌다.

하늘이 출렁 흔들리고, 단원들 얼굴이 희부옇게 보였다. 서서히 그들 다리
사이로 '피이난'으로 가는 길이 눈에 들어왔다. 두 번씩이나 발목을 삐게
만든 야속한 길은 햇빛에 쨍쨍했다. 길 위에 드러누운 채
나는 아브라힘을 생각했다.

'꼭 가야 해. 그의 집까지. 내가 주문한 음식 값을 줘야 해!'

현기증과 함께 왈칵 졸음이 쏟아졌다. 눈은 무겁게 감기는데, 단원들이
나를 부르는 소리가 멀리서 들려왔다.

"선생니임~~ 선생니임~~ 개엔~찮으세요~!"

28

트로이
목마

'내가 1등이라니?'

평생 처음이었다. 공부도 그 외의 것에서도 1등은 해 본 적이 없었다.

경품 추첨에서 마지막 1등만 남았을 때, 당첨되기를 포기하고 나는 자리에서
일어났다.

"행운은 아무에게나 찾아오는 것이 아니야!"

헉! 낯익은 번호가 들렸다. 세상에! 내 번호였다. 300명 가운데 1등으로
뽑혔다. 놀라운 일이었다. 사람들 시선을 한 몸에 받으며 앞으로 나갔다.

얼떨떨해 기쁘지도 않았다.

내가 받은 경품은 최신형 올레드 TV(OLED 55인치), 시가 300만 원짜리다.
'어떻게 나한테 이런 일이 일어났을까?'

2017년 요르단 한인회 추석 행사 때 있었던 일이다. 협력 활동 '시네마천국'
팀은 사물놀이 패를 만들어 3년간 요르단 아이들에게 공연을 해 왔다.
그 소식을 들은 한인회에서 장기자랑 일환으로 우리 팀을 초대했다.
공연이 끝난 후 참석한 한인들을 대상으로 많은 경품추첨이 있었는데,
얼토당토않게 내가 1등 상품을 탔다. 박스에 포장된 55인치 TV는 두 사람이
들어서 봉고차로 옮겨야 할 정도로 컸다. 뜻밖에 얻은 경품을 싣고 집으로
오는 내내 고민했다. 문제가 복잡해진 것이다. 15일 후면 요르단을 떠난다.
6개월간 여행하고 집으로 갈 텐데 이것을 가져갈 수도 없고 그렇다고
남을 주기에는 아까웠다.
'차라리 현금으로 주든가? 한국에 있을 때에는 이런 행운이 없다가 왜?
하필 여기서?' 봉고차에 함께 탄 코이카 단원들은 축하한다고 난리였다.
"유종의 미가 대박 났어요!"

서울에 있는 딸한테 처음 해 본 1등 자랑이 오히려 화근이 됐다.
"집 거실에 있는 TV가 너무 작아 바꿀 때가 됐어!"
"엄마는 한 푼 아끼려고 고생하고 있는데, 아빠는 무슨 생각을 하고
있어요?"
"3년씩이나 나가 살아서 집 형편을 몰라도 너무 모르는 것 아니야?"
TV를 항공 화물로 보내라고 성화였다. 괜히 벌집만 쑤신 셈이다.

집 거실에 세워 둔 TV가 몹시 거슬렸다. 곧 떠날 짐을 정리해서 필요한 것을 한국으로 보내야 하는데 큰 짐이 하나 늘어난 것이다. 거실을 지날 때마다 밤낮으로 신경 쓰였다.

'안 그래도 처리할 일이 많은데, 이걸 어떡하지?'

거실 중앙에 떡 버틴 TV는 트로이를 멸망하게 한 '트로이 목마'와 흡사했다.

'목마의 불화'는 생각보다 빨리 시작됐다. 주말에 교회를 다녀온 코이카 단원은 한인들의 관심사를 내게 전했다.

"1등 경품을 누가 탔다고?"

"TV를 어떻게 하겠대?"

"팔면 돈이 꽤 될 텐데?"

나는 요르단에 힘들게 쌓은 공덕(功德)이 나름대로 있다. 나만의 생각이지만 3년간 열심히 봉사했다. 이제까지 살아오면서 누군가를 위해 시키지도 않은 선행을 해본 적이 없었다. 물욕과 3년의 공덕이 머릿속에서 맴돌았다. 다시 이런 봉사를 해 볼 기회도 없거니와 1등 행운은 더더욱 내게 오지 않을 것이다. 둘을 다 가져가면 좋으련만. 나는 공덕을 지키기 위해 TV를 포기하리라 마음먹었다.

요르단에서 가장 큰 가전 매장을 찾아갔다. 한국 상품을 전시해 놓은 매장에는 내가 경품으로 받은 TV는 안 보였다. 점원에게 사진을 보여 주며 가격을 물어봤다. 신상품이라 아직 안 들어 오는데, 한 2000디나르(320만 원)는 줘야 할 거라고 한다. 상점 주인에게 경품 사실을 말하고 TV를 팔고 싶다고 했다. 얼마 받을 거냐고 해서 1500디나르(240만 원)를 제시했다.
그 정도면 좋은 가격이지만 구매할 돈이 없다고 한다. 대신 살 수 있는
사람을 찾아보고 연락 주겠다고 해서 이틀 기한을 못 박았다. 열흘 후에는
요르단을 떠나기 때문이다. 열흘 안에는 꼭 팔아야 한다.
'이거 뭔 생고생이람?'

문화부 친구들에게 TV를 팔 수 있을까 물어봤다. 한 달 50만 원 버는
요르단 봉급자가 300만 원 넘는 물건을 사기는 어렵다. 결국 '시네마천국'
팀원들을 집으로 불렀다. 당연히 그들도 궁금해하고 있을 터였다.
"TV는 내가 탔지만 내 것이 아니야."
"팀이 초대 받아서 당첨된 거라 우리의 것이지."
"나한테 세 가지 복안이 있어."
첫째, 코이카 사무실에 기증해서 단원들 교육용으로 쓰게 한다.
둘째, 장애아동기관에 '시네마천국' 이름으로 기증한다.
셋째, 싸게 팔아 우리 모두(사무실 현지 직원 포함 33명) 나눠 갖는다.

팀원들은 첫째 방법은 반대했다. 둘째와 셋째 중 둘째 방법을 원했다.
나는 셋째 방법을 설득했다. 장애아동기관에 기증하는 것도 좋지만
고가의 상품은 관리가 어려울 우려가 있다. 그리고 '시네마천국'이 이제까지
장애아동에게 많은 것을 해 줬다. 나는 요르단에서 고생한 단원들에게
선물을 주고 떠나고 싶었다. TV를 팔아서 상품권으로 나누자는 나의
제안을 팀원들은 고맙게도 받아들였다.

다행이 최신형 TV에 관심을 갖는 사람이 있었다. 코이카 봉사단원 임기를 마치고 결혼해서 요르단에 사는 '하나(음악교육 단원)'였다. 마침 그녀가 집을 늘려 이사 가야 하는데 TV가 필요하다는 것이었다. 고맙게도 그녀는 160만 원을 주고 거실에 있는 TV를 싣고 갔다.

'트로이 목마'가 떠난 거실은 다시 평온해졌다. 내 것이 될 수 없는 행운이 내게 와서 '트로이 목마'로 우뚝 섰지만, 나는 운 좋게 돌려보낼 수 있었다. 나는 나를 안다. 노력하지 않고 우연히 얻은 횡재는 한 번도 없었다. 딱 일한 만큼의 보상만 받았다. 심지어 길 가다 돈을 주워 본 적도 없다. 앞으로도 그런 행운은 나한테 없는 복이다. 나는 그런 사람이다. 뜻밖에 온 재물이 '내 것이 아니다'라는 것을 다시 알게 해 준 '트로이 목마'였다.

다음 주에는 요르단을 떠난다. 계절은 봄에서 여름으로 흘렀다. 여름과 똑같은 햇빛으로 가을이 와서 여름은 끝없이 길었다. 여름 내내 기다리던 비가 억수로 쏟아질 때쯤 나는 이곳에 없다.

나답지 않게 살아 본.
남을 위해 나를 바쳐 애써 본.
자원봉사자 행세를 오랫동안 해 볼 수 있었던 그런 곳이었다.
하마터면.
끝까지 좋은 이미지를 남기고 떠나려는 내 의도가
빗나갈 뻔한 곳이기도 했다.

29

고맙다는 말은
꼭 하고 싶어

이별은 위태해서 슬프다.

아침에 활짝 피고 사라지는 나팔꽃 같다.

앞서 한국으로 돌아간 사람들!

"하나, 라하프, 히얌, 아비르, 누르, 파라, 하나2."

아직 떠나지 못한 친구들!

"무나, 쌀람, 디마, 하딜, 라에드, 바쓰마, 히바, 유니."

사라진 꽃같이 닿을 수 없는 사람들이다.

고맙다는 말은 꼭 하고 싶어.

세월이 달음박질쳐 마구마구 달렸다.
내일 아침이면 요르단 생활 3년이 된다.

늘 그러하듯.
물기 없는 하늘은 '쨍!' 하고, 골목에는 LP가스통을 실은
트럭이 왱왱거리며 지날 것이다.
짐을 뺀 안방구석까지 아침 해가 비칠 때면,
나는 요르단 국경을 넘고 있을 것이다.

"팔레스타인, 그리스, 프랑스, 스페인, 포르투갈, 모로코, 튀니지."
파인 길 위에 고인 빗물을 철퍼덕철퍼덕 물장구 튀기며
세상 끝까지 가 보련다.
벌써 '먼 북소리'가 가슴 저편에서 울려온다. 둥둥둥!

고맙다는 말은 꼭 하고 싶어.
너한테.

30
돌아가지만
집에 언제 갈지는

집에 가는 길이지만 도착이 언제인지 모른다.

새벽 버스를 타고 요르단 수도 암만을 떠났다. 떠날 때는 달랑 배낭
하나였다. 3년 전 여기 올 때처럼 날씨는 쨍쨍했다. 같은 날, 같은 시간에
요르단을 나왔다. 비행기로 왔으나 나갈 때는 육로였다. 비행기는 하루면
나를 서울에 내려놓을 것 같아 육로를 택했다.
내가 보낸 세월은 하룻밤에 휙 잊히는 그런 것이 아니다. 먼 길을 돌고 돌아
이곳이 잊힐 때쯤, 나는 집에 간다. 그때가 언제인지 모른다. 꼭 어디로 가야
할 곳도 없다. 그냥 적은 돈으로 오래오래 버틸 수 있는 땅이면 된다.

하루를 2만 원으로 살 수 있다는 스페인 '산티아고' 길이 나한테 딱 좋다.

내가 탄 버스가 도시의 낮은 빌딩을 지나 산허리를 감돌며 사막 서쪽으로 나아갔다. 사막의 풀들은 가시덤불이 되어 잔뜩 웅크려 있다. 먼지를 뒤집어쓴 늙은 올리브나무가 도로를 따라 지나간다.

요르단에서 머문 3년.
그만큼 몸도 늙어졌다.
괜찮아. 나를 남에게 나눠 줄 수 있었던 시간이었잖아!

피부는 햇빛에 그을려 누렇고 눈언저리 근육은 느슨해졌다.
머리색은 바뀌었고 숱은 겨울 산처럼 듬성듬성하다.
괜찮아. 그게 세월인 거야!

올 때처럼 언덕에서 요르단 국기가 펄럭이고,
색이 바랜 노란 택시가 여전히 좁은 도로를 내달린다.
히잡을 쓰고 쿵쿵쿵 걷는 여자들.
차가 오거나 말거나 도로를 건너는 사람들.

움직이는 이 모든 것들이 내 기억을 지나쳐 갔다.
양 떼를 헤치며 사막으로 덜컹덜컹 사라지는 기차처럼.
올리브나무 잎을 떨어뜨리고 휙휙 지나가는 바람처럼.

버스가 요르단 국경까지 왔다. 승객들이 내린다.

'출국 수속을 밟으려나 보다.'

동쪽 사막에서 서쪽 사막으로 넘어온 것이다. 마지막 남은 요르단 화폐를 출국세로 내고 이스라엘 국경검문소로 가는 셔틀 버스를 탔다.

단출한 입국 심사를 마치고 다시 사막으로 들어섰다.

"이곳이 팔레스타인인가? 이스라엘인가?"

참 헷갈린다. 요르단에서는 이 땅을 이스라엘이라고 말하지 못했다. 요르단 서쪽, '사해(Dead Sea)'를 여행할 때다. 바다 건너편 땅을 보고 나는 소리쳤다.

"와! 이스라엘이다!"

동승한 현지인 친구는 화를 냈다.

"이스라엘이 아니고 팔레스타인이야!"

그때부터 나는 이스라엘을 언어에서 지우려고 노력했다. 지금 땅의 80%는 이스라엘이고, 20%는 팔레스타인으로 나누어진 상태다. 요르단으로 넘어 온 팔레스타인 사람들은 이 땅을 '팔레스타인(Palestine)'이라고 말한다. 나는 배낭 하나 덜렁 메고 이스라엘, 아니 팔레스타인 땅으로 들어갔다.

1967년 제3차 중동 전쟁에서 승리한 이스라엘은 팔레스타인 영토를 점령했다. 그 후 팔레스타인 난민 300만 명은 조상들이 살던 땅을 떠나 국제적 난민이 됐다. 그중 일부가 요르단으로 넘어 왔다. 요르단 정부는 팔레스타인 난민을 정착시키고, 직업을 가질 수 있게 했다. 그 후세들이 지금 나와 친구가 됐다. 차로 1시간이면 갈 수 있는 고향을 앞에 두고 가지

못하는 이들은, '이스라엘'이라는 이름만으로도 분노했다. 내 친구들이 모두
팔레스타인 출신이어서 나는 이들 편이 됐다.

지금도 요르단은 시리아 난민으로 넘친다. 난민은 머물 곳이 없는
사람들이다. 정착할 곳이 없으면 일평생 떠돌아야 한다. 나도 퇴직 후
정착할 곳이 없어 요르단으로 왔다. 요르단은 팔레스타인 난민을 품었듯,
갈 곳 없는 나를 받아 줬다. 약속의 땅이었다. 나는 이곳에서 하고 싶은
일을 할 수 있었다.

여행을 하듯 요르단 오지를 쏘다니며 나는 봉사활동을 했다. 이런 여행을
할 수 있게 해준 '코이카(KOICA)'를 늘 사랑하며 살았다. 그 덕분에 잊을 수
없는 사람들도 많이 만났다. 지난 3년간 요르단에서 만난 사람들은
친구가 됐고, 형제가 됐고, 가족이 됐다. 나이가 많든 어디에서 왔든
그들은 개의치 않았다.
요르단 여행은 내가 해 보지 못한 새로운 여행이었다. 아무리 좋은 여행도
가끔은 힘들고 어려운 일이 있을 텐데, 요르단에서는 좋은 일뿐이었다.
모두 내가 하고 싶은 일이었고, 좋아하는 일들이었다. 3년 내내 근무한
문화부에도 좋아하는 사람들로 넘쳤다.

한국말로 "커피 드세요" 하며 하루도 빠짐없이 커피를 갖다 준 '이씨'.
"당신은 나의 형이야!" 하며 웃음을 잃지 않았던, 착한 '샤디'.
점심때마다 먹기 싫은 빵을 "조금만 더 먹어" 하던 '아슈랍프'.

손가락으로 "눈, 코, 입"을 가리키며 한국말을 배웠던 '딸리크'.
문화부에서 '알 수 없는 일'만 죽도록 해서 미움 받았던 '하난'.
그리고 협력활동으로 만난, 올리브같이 단단한 5000명의 꼬맹이들.

모두 어떤 이익을 위해 내게 온 사람들이 아니다. 그저 요르단을 찾아온
손님이라는 이유로 친절했고, 마음을 열어 줬다. 밀린 아랍어 공부와
코이카 업무를 주말에 하려고 미루어 두면 어김없이 전화해서 불러내는
사람들이었다. 나를 티 나지 않게 괴롭힌 사람들이었다. 여행자답게 이미
떠났어야 했는데, 이들이 내 소맷자락을 잡는 바람에 3년을 눌러 앉았다.

나는 여행자다.
여행자는 어딘가를 늘 여행 중이어야 한다.
여행을 하다 보면 쪼끔만 더 머물고 싶은 곳도 있다.
아니다.
쪼끔보다 더 오래.

그냥 떠나고 싶지 않은 곳이 있다고 말하자!

OO

끝내는 이야기

— 오마르

집에 왔지만 친구들은 내가 돌아온지 모른다. 책 읽고 글 쓰는 것밖에 한 것이 없다.

글 쓰는 일은 여행만큼이나 나를 자유롭게 했다. 여행에서 돌아와

나는 다시 세상으로 나갔다. 내가 가고 싶은 곳을 쏘다니듯

글은 나를 여기저기 끌고 다녔다. 한 걸음 한 걸음 걷고, 한 줄 한 줄 써 내려갔다.

문장 한 줄을 일주일이나 깎고 다듬은 적이 있었다.

내 신경은 닳고 닳아 칼날이 되어 몸무게를 4㎏ 베어 냈다. 4년 전 일이다.

정년퇴직은 아무것도 할 수 없게 했다.

새로운 일을 쫓아 나는 '코이카 해외봉사단'에 지원했다. 요르단에 파견된 후
문화부에서 일을 했다. 200여 명 직원들 이름을 외우기 위해 부단한 노력을 한
기억이 난다. '당신이 누구'라는 이름을 불러 줘야 내가 나라는 것을 알릴 수 있다.
그래서 모든 직원 이름과 신체특징을 수첩에 적어 죽자고 외운 적이 있다.

존재하는 모든 것에 이름이 있듯이 '오마르(Omar)'는 요르단에서 불린 내 이름이었다.
나는 요르단에 와서 '오마르'가 된 것이다. 새로운 이름은 새로운 역사의 시작이듯
'오마르'는 요르단에서 펼친 협력활동 '시네마천국'으로 많이 알려졌다.
나는 3년간 팀원들과 요르단 전역을 돌아다녔다. 5000여 명의 오지 아이들에게
영화를 보여 주기 위해서였다. 팀의 리더였던 내 이름 '오마르'는 열아홉 번의 행사를
진행하면서 요르단 전역에 알려졌다.

임기가 끝날 무렵 문화부에서 송별 만찬을 해 줬다.
다음 날 현지 신문에 '오마르'란 이름이 실렸다.
"코이카 소속 봉사자 '오마르'는 '시네마천국' 팀을 이끌고 요르단 아동을 위해 많은
활동을 했다. 그는 3년 임기를 모두 끝내고 한국으로 돌아간다. 요르단 정부는
그들에게 고마움을 전한다."
기사를 읽은 현지 친구가 미리 사인을 받아 두지 못했다며 아쉬움 섞인
조크를 내게 보냈다.

한때 팀원이었던 '쌀람(물리치료 단원)'이 내가 떠난 뒤에도 활동을 하고 있다는
기사가 SNS에 올라왔다. 그곳은 팔레스타인 난민촌 '바카캠프'에 있는 작은 학교였다.
'시네마천국' 마지막 활동 장소로 섭외하기 위해 내가 여러 번 왕래한 곳이다.
이 단원은 '바카캠프' 아이들이 목메게 외친 녹음 파일을 나한테 보내 줬다.
"보고 싶어요! '오마르', 보고 싶어요! 보고 싶어요!"
아이들 목소리를 나는 수없이 들었다. 나를 기억해 준.

― 글을 쓰는

여름이 가고 가을이 와 있을 즈음.
나는 붉은 땅에 아이들을 두고 요르단을 떠나는 중이었다.
임기가 끝날 때, 그리운 것들과 이별해야 하는 일과
새로운 일자리를 찾아야 하는 일, 다시 내 나이로 돌아가야 한다는 일들로
많이 심란했다. 무엇보다 이제 돌아가면 '오마르'란 이름을
더 이상 들을 수 없는 것이 몹시 서글펐다.

돌아와도 할 일은 없었다.
일 없는 시간과 내가 마주하고 있을 때, 요르단 친구들이 생각났다.
그들은 '겨울까지 사는 사람들'이다. 겨울 한철 내린 비로 한 해를 살 수 있는
사람들이다. 사막에 풀어 놓은 양들이나 길가 올리브나무도 겨울까지 서 있다.

'나는 어떻게 살까?'
'뭘 하고 살아야 하나?'
걱정에 내몰릴 때, 친구들은 내게 말한다.
"겨울까지 살면 돼!"

이 책에 그리운 그들을 담았다.

"꼭 다시 올 거지?"

떠나는 날까지 손잡아 준 문화부 친구들. 그곳에 나를 있게 해 준 아이들
그리고 친구 같았던 '시네마천국' 팀원 이름을 하나하나 담았다.

또 이름을 담을 수 없는 '산티아고' 길에서 만난 사람도 있다.

요르단은 하고 싶은 일을 하게 해 준 곳이다.
내가 좋아하는 것이 무엇인지 알게 해 준 곳이기도 하다.
그곳으로 나를 보내고 후회했을지도 모르는 아내와 두 딸한테 고마움이 많다.
책이라도 팔리면 아내가 좋아하겠지만, 책을 써서 생계를 이을 욕심은
처음부터 없었다.

그저 요르단에서 '오마르'란 이름이 불리듯. 이곳에도 내가 있었으면.

나는 글을 쓰는 사람입니다.

World Friends Korea는 무.엇.인가요?

월드프렌즈코리아(World Friends Korea, WFK)는 우리나라 정부부처들이 개별적으로 추진해 오던 해외봉사단 사업을 단일브랜드로 통합한 새 이름입니다. "WFK"는 도움을 받는 나라에서 도움을 주는 나라로 성장한 경험을 통해, 개도국 이웃들의 어려움을 누구보다 공감하는 우리 국민들의 따뜻한 마음을 표현하는 이름입니다.

WFK는 '세계의 친구'로서 국제사회에 기여하는 한국인의 이미지를 더욱 선명하게 알리고, 앞으로 다 함께 잘 사는 인류사회 건설을 위한 아름다운 변화에 앞장설 것입니다.

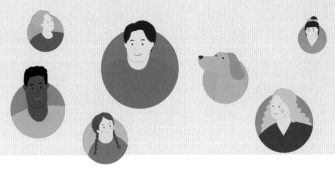

WFK-한국해외봉사단	http://kov.koica.go.kr
WFK-대학사회봉사협의회	http://www.kucss.or.kr
WFK-ICT봉사단	https://kiv.nia.or.kr
WFK-중장기자문단	http://kov.koica.go.kr
WFK-퇴직전문가	http://www.nipa.kr
WFK-세계태권도평화봉사단	http://tpcorps.org

WORLD FRIENDS KOREA

21세기 글로벌 청년리더가 되는 길, WFK-한국해외봉사단

WFK-한국해외봉사단은 2년간 개발도상국 주민들과 함께 생활하며 교육 및 직업훈련, 농수산업, 보건위생, 농촌개발 등 분야에서 기술 지원 및 교류 활동을 통해 그들의 삶의 질을 높이고, 더 나아가 우리나라와 파견국의 상호이해증진에 기여하게 됩니다. 귀국 후에는 해외봉사활동 경험을 우리 사회에 환원하고 21세기 글로벌 인재로서 능력을 발휘하는 기회가 될 수 있습니다.

WFK 한국해외봉사단은 개발도상국의 지속 가능한 경제 사회발전을 돕기 위한 공적개발원조 ODA 사업의 하나입니다.

WFK-한국해외봉사단 파견유형

일반봉사단, 시니어봉사단, 국제개발 전문봉사단, 드림봉사단, 새마을리더 해외봉사단으로 나뉘며, 봉사정신이 투철하고 심신이 건강한 대한민국 국민이라면 누구나 지원할 수 있습니다.

일반봉사단원

군복무를 필했거나 면제된 자로서 해외에서 봉사활동을 수행할 수 있는 일정 수준의 자격을 갖춘 만 19세 이상 단원

시니어봉사단원

파견분야 10년 이상의 근무경력과 전문성을 갖춘 만 50세 이상의 단원

국제개발 전문 봉사단

해당국가가 요청하는 자격기준(학력, 자격 등)에 해당되며, 회의, 토론, 보고서 등을 영어 혹은 파견지역 공용어로 진행(작성) 가능한 단원

드림봉사단

개발도상국이 요청하는 자격기준에 해당되며, 특성화고 마이스터고 졸업예정 또는 3학년 재학중인 단원

새마을 리더 해외봉사단

군복무를 필했거나 면제된 자로서 해외에서 봉사활동을 수행할 수 있는 일정 수준의 자격을 갖춘 만 19세 이상 단원

WFK 한국해외봉사단 모집
다양한 분야와 직종을 선발합니다

WFK-한국해외봉사단은 도움이 필요한 세계 각지에서 활동합니다.

WFK 한국해외봉사단 활동인원

지난 스물여덟해 동안 50여개국에 13,000여명이 파견되었습니다.

농어촌개발

개발도상국 농어촌 주민들과 함께 생활하며 지역의 소득증대,
생활환경 개선을 위해 활동하고 있습니다.
- **직종** : 식품가공, 농업, 지역개발 등

산업에너지

경제개발의 근간이 되는 산업 및 에너지 분야에 파견되어 관련 기술을 전수하고 있습니다.
- **직종** : 건축, 기계, 섬유/의류, 자동차, 전기/전력 등

보건의료

병원, 보건소 등에 파견되어 위생환경 개선, 전염병 예방, 모자보건 증진을 위해 활동하고
있습니다.
- **직종** : 간호, 물리치료, 방사선, 임상병리 등

교육

취학연령아동들을 대상으로 하는 기초교육기관, 성인을 대상으로 하는 중등교육기관, 미취업자
및 구직자를 위한 직업훈련학교에서 활동하며, 전반적인 인적자원개발을 지원하고 있습니다.
- **직종** : 미술교육, 과학교육, 미용교육, 수학교육, 요리, 유아교육, 음악교육, 청소년개발,
  체육교육, 컴퓨터교육, 한국어교육, 사서 등

공공행정, 환경 및 기타

우리나라의 개발 경험과 노하우를 전수하고, 주민들의 삶의 질, 문화협력 교류 증진을 위한
분야에 파견되어 양국간 우호 증진에 기여하고 있습니다.
- **직종** : 사회복지, 관광, 사서 등

WFK 한국해외봉사단원 모집부터 출국까지 살.펴.보.기

모집선발 상담센터 1588-0434

일반봉사단, 시니어봉사단으로 나뉘며, 봉사정신이 투철하고
심신이 건강한 대한민국 국민이라면 누구나 지원할 수 있습니다.

01 지원서 접수

해외봉사단 모집기간 중 홈페이지에서 온라인지원서 작성 및 제출

02 서류전형

학력 경력 자격증 등 직종 전문성 평가

03 면접전형 (인성검사)

직종 전문성 평가 및 봉사자의 기본자세와 소양 점검

04 신체검사, 신용 및 신원조회

05 국내훈련 (8주 내외 합숙훈련)

봉사정신 함양, 언어·소양·실무·안전관리교육 실시

06 출국 및 현지적응훈련 (8주 내외)

해외봉사단 지원서는 봉사단모집홈페이지 http://kov.koica.go.kr 에서
등록·접수하실 수 있습니다.

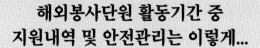

해외봉사단원 활동기간 중 지원내역 및 안전관리는 이렇게...

WFK 해외봉사단원은 국내훈련, 현지적응훈련 및 봉사활동기간 중 안전하고 효과적인 활동을 위해 각종 지원을 받게 됩니다.

파견 전

국내훈련기간

- 국내훈련수당 및 훈련용품 지급
- 예방접종 및 휴대용 안전장비 지급
- 재해보상

출국준비기간

- 여권 및 비자발급 지원
- 왕복항공료 및 화물탁송료 지원
- 출국준비금 지급

파견 후

현지정착비

- 주거비 및 생활비
- 봉사단원 파견국 물가수준 고려 지급

활동지원

- 활동물품구입비, 현장사업비 등
- 봉사단 유숙소 운영(수도에 한함)

건강 및 안전관리

- 재해 및 상해보험 가입
- 긴급후송서비스(SOS) 재난발생시 안전한 지역으로 후송
- 의료지원 상해·질병 치료비 지원/연간 정기 건강검진 실시/24시간 의료상담

KOICA 안전종합상황실

- 해외 긴급상황발생시 신속 대처할 수 있도록 24시간 운영합니다.
- 대표번호 031-740-0114

해외봉사단원 활동종료/귀국 후
다양한 기회가 제공됩니다.

KOICA 지원 및 기회제공

임기를 종료하고 귀국한 단원들에게는 신속한 국내 적응을 돕기 위해 국내정착금 및
취업 정보지원, 국제협력사업 참여기회 등이 제공됩니다.

국내정착지원금 지급

파견기간 중 적립한 소정의 금액을 국내정착지원금으로 일시 지급

취업정보센터 운영

귀국단원들의 국내정착 위한 취업정보 지원센터 운영 해외취업정보제공 해외유망직종안내,
구인정보 안내

국제협력활동 지원

KOICA 직원채용시 우대 귀국봉사단원이 직원이 되면 봉사기간 경력 인정
해외봉사단관리요원, 유엔봉사단(UNV) 모집 귀국봉사단원 지원시 우대

국내 봉사단 네트워크

한국해외봉사단원연합회(KOVA) 봉사활동 경험을 살려 봉사문화정착과 제3세계 지원 등
공익적 사회활동을 목적으로 하는 귀국단원들의 모임
지역 커뮤니티 수도권 포함 총 9개 국내 지역별 커뮤니티 운영

WORLD FRIENDS KOREA

더 좋은 세상
함께 만들어가요

우리 정부의 대개도국 무상협력사업을 전담 실시하는 외교통상부 산하 정부출연기관으로 1991년
4월 설립되었고 프로젝트, 해외봉사단파견사업, 국내초청연수 등
다양한 사업을 통해 개발도상국의 경제사회발전을 지원하고 있습니다.

해외봉사단 모집선발상담센터

주소　　경기도 성남시 수정구 대왕판교로 825 한국국제협력단 본관 1층

운영시간　09:00 - 18:00 (중식 12:00-13:00)

전국공통전화　1588-0434

홈페이지　http://kov.koica.go.kr

모집상담이메일　kov1@koica.go.kr

대중교통편 안내　광역버스 : 1007, 1007-1, 5600, 6900

(지하철 수서역 6번, 잠실역 6본출구 수원방향 승차-나라기록관 앞 하차)
협력단-양재역 순환차량(25인승) 운행
(양재역 7번출구 100m전방 서초구민회관 앞/16:40 출발)

초판 인쇄	2019년 03월 20일
초판 발행	2019년 03월 20일

지은이	마숙종
발행인	이미경
발행처	한국국제협력단
주소	경기도 성남시 수정구 대왕판교로 825
전화	031.740.0114
팩스	031.740.0247
홈페이지	www.koica.go.kr

펴낸이	정고은
편집	방수진
디자인	신은지
펴낸곳	(주)꽃길
등록번호	제2018-000024호(2017년 1월 9일)
주소	서울시 마포구 월드컵로 163-3, 1층
전화	02.336.8212
팩스	02.323.8212

printed in Korea ⓒ 2018 마숙종

ISBN 979-11-962677-3-5(03810)

값 14,000원